LA MAISON DU PÉRIL

Agatha Christie

LA MAISON DU PÉRIL

Traduit de l'anglais par Robert Nobret

Éditions du Masque

Ce roman a paru sous le titre original :
PERIL AT END HOUSE

À Eden Philpotts,
à qui je voue une reconnaissance éternelle pour son
amitié et les encouragements qu'il m'a prodigués voici
de nombreuses années.

1

L'HÔTEL MAJESTIC

De toutes les stations balnéaires du sud de l'Angleterre, St Loo est, si vous voulez mon avis, la plus agréable. Surnommée à juste titre la Reine des plages, elle évoque irrésistiblement la Riviera. Pour moi, la côte de Cornouailles est tout aussi prodigue en séductions variées que la Côte d'Azur — sinon plus. Je fis soudain part de cette intéressante réflexion à mon ami Hercule Poirot.

— Vous manquez d'originalité, mon bon ami, rétorqua-t-il dans son anglais bancal qu'une fois de plus je renonce à transcrire. J'ai lu hier le même genre de slogan sur le menu du wagon-restaurant.

— Et vous ne partagez pas ce point de vue ?

Il souriait aux anges et ne répondit pas à ma question. Je la réitérai donc.

— Mille pardons, Hastings. Mes pensées vagabondaient. Vagabondaient précisément dans ces contrées que vous venez d'évoquer.

— La Côte d'Azur ?

— Oui. Je me remémorais le dernier hiver que j'y ai passé et les événements qui s'y sont déroulés.

Je me souvenais d'en avoir entendu parler. Un meurtre avait été commis dans le Train Bleu, et le mystère, particulièrement compliqué et déroutant, avait été élucidé par Poirot avec sa perspicacité habituelle.

— Comme j'aurais aimé être auprès de vous, soupirai-je du plus profond de moi.

— J'aurais moi aussi été heureux que vous soyez là ! Votre expérience s'y serait révélée inappréciable.

Je lui jetai un regard en coin. J'avais fini par ne plus me fier aux compliments du petit Belge, mais pour une fois il avait l'air sincère. Et pourquoi pas, après tout ? Je connaissais ses méthodes depuis des années.

— Ce qui m'a le plus manqué, Hastings, poursuivit-il rêveusement, c'est votre imagination débridée. On a souvent besoin de retomber de ses hauteurs. Et mon valet, Georges, garçon admirable avec lequel je m'autorise parfois à discuter d'un point de détail, ne possède pas le quart de votre esprit chimérique.

Cette réflexion me parut tout à fait déplacée.

— Dites-moi, Poirot, demandai-je néanmoins, n'êtes-vous jamais tenté de reprendre vos activités ? Cette vie oisive...

— ... me convient à merveille, mon bon ami. Se prélasser au soleil, connaissez-vous rien de plus agréable ? Descendre de son piédestal au comble de la gloire, est-il geste plus sublime ? Les foules disent de moi : « Cet homme, là, c'est Hercule Poirot !... Le grand..., l'unique !... Il n'y en avait jamais eu un comme lui, et il n'y en aura jamais plus ! » Voilà qui me suffit. Je ne demande rien de plus. Je suis modeste.

Modeste n'était pas le mot que j'aurais employé. J'eus l'impression que la vanité de mon compagnon n'avait pas diminué avec les années, bien au contraire. Ronronnant presque d'autosatisfaction béate, il se renversa dans son fauteuil tout en caressant sa moustache.

Nous prenions l'air à l'une des terrasses du *Majestic*, le plus grand hôtel de St Loo. Bâti sur un promontoire, il domine la mer. À nos pieds s'étendaient les jardins de l'hôtel avec leurs palmiers qui frémissaient dans la brise. La mer était d'un bleu intense, sublime, et, dans le ciel dégagé, le soleil brillait avec toute la ferveur qu'on est en droit d'en attendre au mois d'août... mais qu'il manifeste si rarement dans le ciel anglais. Des abeilles affairées bourdonnaient à qui mieux mieux dans cette atmosphère divine.

Nous n'étions arrivés que la veille au soir et savourions là le prélude à un séjour d'une semaine. Si le temps restait au beau, nous allions passer des vacances de rêve.

Je ramassai le journal que j'avais laissé tomber et repris ma lecture des nouvelles du jour. La situation politique, mauvaise au demeurant, manquait d'intérêt ; des troubles avaient éclaté en Chine et une rumeur d'escroquerie financière faisait la une. Dans l'ensemble, rien de bien passionnant.

— Curieux cette épidémie de psittacose, dis-je en feuilletant le reste de l'actualité.

— Très.

— On signale deux nouveaux décès à Leeds.

— Vous m'en voyez navré.

Je tournai une page.

— Toujours pas de nouvelles de Seton, ce type fantastique, cet aviateur qui fait le tour du monde. Ces gaillards-là ont du cran. Son appareil amphibie, l'*Albatros*, doit être une sacrée invention. Ce serait dommage qu'il disparaisse. Non pas que tout espoir soit perdu, non rassurez-vous. Il a peut-être réussi à atteindre une des îles du Pacifique.

— Il reste bien des cannibales dans les îles Salomon, ou je me trompe ? hasarda Poirot, pince-sans-rire.

— Ce doit être un garçon formidable, poursuivis-je sans me laisser démonter. C'est le genre d'individu qui vous rend après tout fier d'être anglais.

— Cela doit vous consoler des dernières défaites à Wimbledon, glissa Poirot.

— Euh, je ne voulais pas...

Mon ami belge balaya d'un geste mes piètres bafouillis :

— Moi, je ne suis pas amphibie, comme l'engin volant de ce pauvre capitaine Seton, mais je suis cosmopolite. Et j'ai toujours eu une grande admiration pour les Anglais, vous le savez bien. Notamment pour leur façon de lire en profondeur la presse quotidienne.

Mon attention s'était tournée vers les rubriques politiques.

— On dirait que le ministre de l'Intérieur est en difficulté, gloussai-je.

— Le pauvre homme ! En voilà un qui a bien des ennuis. À tel point qu'il ne sait plus à quel saint se vouer.

Je le regardai sans comprendre.

Avec un petit sourire, Poirot sortit de sa poche son courrier du matin, bien attaché par un élastique. Il retira du paquet une lettre qu'il me lança.

— On me l'a fait suivre après notre départ.

Je la lus dans un état de délicieuse excitation.

— Poirot ! Mais il vous couvre d'éloges !

— Vous trouvez, mon bon ami ?

— Il évoque votre compétence dans les termes les plus chaleureux.

— Il a raison, admit Poirot en baissant les yeux avec modestie.

— Il vous supplie de vous occuper de cette affaire... il vous le demande comme une faveur personnelle.

— Exact. Inutile de me répéter tout cela, mon cher Hastings : j'ai lu cette lettre avant vous.

— Quel dommage ! me lamentai-je. Nos vacances sont fichues !

— Mais non, mais non, calmez-vous. Il n'en est pas question.

— Le ministre de l'Intérieur précise bien qu'il s'agit d'un problème qui ne saurait attendre.

— Il peut être dans le vrai... comme il peut se tromper. Ces hommes politiques s'emballent pour des riens. Tenez, j'ai vu un jour à Paris, à la Chambre des Députés...

— Mais oui, mais oui... Mais, Poirot, vous ne croyez pas que nous devrions nous préparer ? Nous avons déjà manqué l'express de midi pour Londres. Le prochain...

— Du calme, Hastings, du calme, je vous en conjure ! Vous êtes toujours si fougueux, si exalté ! Nous n'irons pas à Londres aujourd'hui... pas plus que nous n'irons demain.

— Mais cet ordre...

— Ne me concerne pas. Je ne fais pas partie de la police britannique, Hastings. On me propose une affaire en tant que détective privé. Et je la refuse.

— Vous la *refusez* ?

— Bien sûr. Je lui écrirai très poliment, à votre ministre, je lui exprimerai mes regrets, je lui présenterai mes plus plates excuses, et je lui dirai que je suis navré... mais — que voulez-vous ? — que j'ai pris ma retraite, et que je suis fini.

— Mais vous n'êtes pas fini ! protestai-je avec véhémence.

Poirot me tapota le genou :

— C'est le vieil ami qui parle — le chien fidèle. Et vous n'avez pas tort. Mes petites cellules grises fonctionnent toujours avec ordre et méthode. Mais j'ai décidé de prendre ma retraite, mon bon ami, et c'est ter-mi-né ! Je ne suis pas comme ces vedettes qui n'en finissent plus de faire leurs adieux. En toute générosité je dis : laissons leur chance aux jeunes. Il

n'est pas exclu qu'ils parviennent à faire du travail
convenable. Au fond de moi-même, je n'y crois pas
un instant, mais accordons-leur cependant le bénéfice du doute. Dans tous les cas, ils se débrouilleront
très bien dans cette affaire — sûrement assommante
— du ministère de l'Intérieur.

— Mais, Poirot, l'honneur qu'il vous fait !...

— Je suis au-dessus de cela. Si j'accepte, le ministre de l'Intérieur sait très bien, car il n'est pas stupide, que je réglerai ses problèmes. Que voulez-
vous ? Il n'a pas de chance, un point c'est tout.
Hercule Poirot a résolu sa dernière énigme.

Désolé, je déplorais du fond de mon cœur son
obstination. À éclaircir une telle affaire, sa réputation, qui avait déjà franchi les frontières, y aurait
encore   gagné.   Néanmoins   sa   détermination
m'impressionnait.

Une pensée me vint soudain et j'insinuai en souriant :

— En vous montrant aussi péremptoire, n'avez-
vous pas peur de tenter le diable ?

— Faire   changer   d'avis   Hercule   Poirot ?   À
l'impossible, nul n'est tenu — fût-ce le diable ! —
C'est impossible, vous dis-je !

— Impossible ?

— Vous avez raison, mon bon ami, personne ne
devrait jamais employer ce mot. Car il est vrai que si
une balle venait se loger dans le mur sous mon nez,
je mènerais sans doute ma petite enquête ! C'est
humain, après tout !

Je souris. Un petit caillou venait de tomber sur la
terrasse à nos pieds et l'analogie avec la dernière
réplique de Poirot m'amusait. Il alla ramasser le
caillou.

— Oui, c'est humain. On est comme l'eau qui dort
— et gare à son réveil. Il y a dans votre langue un
proverbe qui dit cela beaucoup mieux que moi.

— En fait, répliquai-je, si vous trouviez un poignard planté dans votre oreiller demain matin, l'assassin n'aurait qu'à bien se tenir.

Il acquiesça, mais d'un air distrait.

Soudain, à ma surprise, il se leva et descendit les quelques marches menant de la terrasse aux jardins. Avec une simultanéité troublante, une jeune fille apparut, qui se hâtait dans notre direction.

J'avais à peine eu le temps de noter que c'était vraiment une très jolie fille quand mon attention se reporta sur Poirot qui, sans prendre garde où il mettait les pieds, avait trébuché sur une racine et s'était étalé de tout son long. La jeune fille venait d'arriver à sa hauteur et nous l'aidâmes tous deux à se relever. Tout en accordant bien entendu mes soins les plus empressés à mon ami, j'avais l'esprit accaparé par un visage espiègle encadré de cheveux bruns et éclairé de grands yeux bleus.

— Mille pardons, bégaya Poirot avec un accent particulièrement épouvantable. Vous êtes trop aimable, mademoiselle. Je suis confus... aïe ! mon pied me fait très mal. Non, non, ça n'est rien, je me suis juste tordu la cheville. Dans quelques instants, cela ne sera plus qu'un mauvais souvenir. Hastings, donnez-moi un coup de main et vous aussi mademoiselle, si vous voulez bien être assez gentille. Je suis honteux de vous mettre ainsi à contribution.

À nous deux, nous eûmes tôt fait d'installer Poirot dans un fauteuil sur la terrasse. Je suggérai que l'on appelle un médecin, mais mon ami s'y opposa avec vigueur.

— Je vous répète que ce n'est rien. Rien qu'une légère entorse. C'est douloureux sur le moment, mais cela passe vite. (Il fit une grimace.) Dans deux minutes, je n'y penserai même plus. Mademoiselle, je ne sais comment vous remercier. Vous êtes un ange. Asseyez-vous, je vous en conjure.

Elle prit un siège.

— Il n'y a pas de quoi, dit-elle. Mais vous devriez vous faire examiner.

— Mademoiselle, je vous assure que ce n'est qu'une bagatelle ! Au seul plaisir de votre présence, la douleur s'estompe déjà.

Elle se mit à rire :

— Eh bien, tant mieux !

— Vous prendrez bien un cocktail, proposai-je. Il doit être l'heure.

— Je... oh ! volontiers, dit-elle après une hésitation.

— Un Martini ?

— S'il vous plaît. Sec.

Je m'éloignai pour commander les boissons. À mon retour, je trouvai Poirot et la jeune fille engagés dans une conversation animée.

— Figurez-vous, Hastings, que cette maison là-bas sur la pointe, que nous avons tant admirée, appartient à miss Buckley.

— Vraiment ? fis-je.

À la vérité, cette maison ne m'avait pas frappé et je ne me souvenais pas avoir exprimé une telle admiration. En fait, je l'avais à peine remarquée.

— Elle a un air à la fois grandiose et inquiétant, perchée comme ça, loin de tout.

— On l'appelle la « Maison du Péril », précisa la jeune fille. Cette vieille bicoque tombe en ruine, mais je l'adore.

— Vous êtes le dernier représentant d'une vieille famille, miss Buckley ? s'enquit Poirot.

— Oh ! une famille sans grande importance ! Mais voici quand même deux ou trois cents ans que les Buckley sont venus s'établir à St Loo. Mon frère est mort il y a trois ans, ce qui fait de moi la dernière survivante.

— Comme c'est triste. Vous vivez seule ici ?

— Je voyage beaucoup et quand je regagne mes pénates, je suis généralement accaparée par une bande de joyeux drilles qui débarquent chez moi sans crier gare.

— Ah ! la vie moderne... Et moi qui vous imaginais vivant dans un manoir sombre et mystérieux, hanté par une malédiction familiale.

— Mais c'est merveilleux ! Quelle imagination fertile ! Non, la maison n'est pas hantée. Ou si elle l'est, c'est par un fantôme bienveillant. En trois jours, j'ai échappé à la mort à trois reprises. Je dois être née sous une bonne étoile.

Poirot se redressa, tout ouïe :

— Échappé à la mort ? Comme c'est intéressant !

— Oh ! Ça n'avait rien de bien passionnant. C'étaient de simples accidents. (Elle fit un brusque mouvement de tête pour éviter une guêpe.) Quelles sales bestioles ! Il doit y avoir un nid dans le coin.

— Vous n'aimez pas les abeilles ni les guêpes, miss Buckley ? Vous avez déjà été piquée ?

— Non, mais je ne supporte pas de les voir me tournicoter autour comme ça.

— À tout prendre, mieux vaut une abeille sous le bonnet — comme vous dites en Angleterre — plutôt qu'une araignée au plafond — comme nous disons en Belgique, décréta Poirot, sentencieux. Les deux choses n'ont rien à voir, mais la première est souvent beaucoup moins grave que la seconde.

Ce cher vieux Poirot déraillait manifestement. Mais qu'importe ! Les boissons arrivaient. Nous trinquâmes en portant les toasts d'usage.

— Des amis m'attendent à l'hôtel pour y prendre un verre, dit miss Buckley. Ils doivent se demander ce que je deviens.

Poirot s'éclaircit la gorge et reposa son verre.

— Ah ! Que ne donnerais-je pas pour un bon chocolat chaud ! murmura-t-il. Mais vous n'en faites pas, en Angleterre. En revanche, vous avez d'excellentes... euh... spécialités. Tenez par exemple, les chapeaux des jeunes filles, ils se mettent et s'enlèvent si joliment... si facilement...

La jeune fille écarquilla les yeux.

— Que voulez-vous dire ? Qu'y a-t-il de si extraordinaire à ça ?

— Vous êtes jeune, ma chère mademoiselle... si jeune. C'est pourquoi vous posez la question. De mon temps, les femmes portaient des chapeaux aux dimensions impressionnantes, et elles les fixaient avec tout un tas d'épingles comme ça... comme ça et comme ça !

Il avait fait mine de planter férocement quatre épingles dans un chapeau imaginaire.

— Mais ça devait être affreusement désagréable !

— Je crois bien ! renchérit Poirot avec la véhémence d'une de ces femmes martyrisées. Quand le vent soufflait, c'était un calvaire, c'était à vous donner la migraine.

Miss Buckley ôta son feutre à large bord et le lança sur la chaise voisine.

— Et maintenant, voilà ce que nous portons, dit-elle en riant.

— C'est charmant et bien plus pratique, approuva Poirot en s'inclinant.

Pour ma part, je continuais d'observer miss Buckley. Ses cheveux bruns ébouriffés lui donnaient l'air d'un petit lutin. Une impression d'espièglerie se dégageait de toute sa personne. Le petit visage était vif et plein, éclairé d'immenses yeux bleus, mais il y avait autre chose... quelque chose qui retenait l'attention. Était-ce de l'anxiété ? Des cernes se dessinaient sous ses yeux.

La terrasse où nous nous trouvions était peu fréquentée. La plupart des estivants se tenaient plus loin, juste à l'endroit où la falaise plongeait à pic dans la mer.

Un homme déboucha de cette direction. Le visage buriné, il marchait en chaloupant. Il apportait avec lui un souffle d'air frais et de nonchalance : c'était l'image même du marin.

— Où diable cette fille peut-elle avoir disparu ? grondait-il d'une voix qui portait jusqu'à nous. Nick ! Nick !

Miss Buckley se leva.

— J'étais sûre qu'ils seraient dans tous leurs états. Ohé ! George ! Je suis là.

— Freddie meurt d'envie de boire un verre ! Venez, bon sang !

Il jeta un coup d'œil ébahi à Hercule Poirot qui tranchait sans doute sur les amis habituels de Nick.

La jeune fille le présenta :

— Voici le capitaine de frégate Challenger et... euh...

À mon grand étonnement, Poirot ne lui fournit pas le nom qu'elle attendait. Il se leva et s'inclina avec cérémonie en murmurant :

— ... de la Marine anglaise. J'éprouve la plus vive admiration pour la Marine anglaise.

Ce n'est pas le genre de remarque qu'accueille un sujet de Sa Majesté sans perdre ses moyens. Aussi le capitaine Challenger rougit-il jusqu'aux oreilles. Et Nick Buckley prit la direction des opérations.

— Voyons, George ! Ne restez pas bouche bée. Filons retrouver Jim et Freddie.

Elle sourit à Poirot :

— Merci pour le Martini. J'espère que votre cheville ira mieux.

Avec un petit geste d'adieu dans ma direction, elle glissa son bras sous celui du marin et ils quittèrent la terrasse.

— Voici donc l'un des amis de miss Nick, murmura Poirot pensif. De sa bande de « joyeux drilles ». Qu'en pensez-vous, Hastings ? Confiez-moi votre avis d'expert en la matière. C'est ce qu'il est convenu d'appeler un type bien, non ?

Pendant quelques instants, j'essayai de comprendre ce que Poirot classait sous l'étiquette de « type bien ».

— Oui, il m'a fait plutôt bonne impression. Pour autant qu'on puisse juger quelqu'un en trente secondes...

— Je me demande... murmura Poirot.

La jeune fille avait oublié son chapeau. Mon ami le ramassa et se mit à jouer avec d'un air absent.

— Vous ne croyez pas qu'il a un petit faible pour elle, Hastings ?

— Mon cher Poirot ! Comment diantre voulez-vous que je le sache ! Donnez-moi donc ce chapeau. Elle va en avoir besoin. Je vais le lui rapporter.

Ignorant ma demande, Poirot faisait lentement tourner le chapeau sur son doigt.

— Pas encore... Je m'amuse.

— Poirot, voyons !

— Eh oui, mon bon ami, je deviens sénile et je retombe en enfance, n'est-ce pas ?

C'était si précisément le fond de ma pensée que j'en restai déconcerté. Il se mit à rire et se pencha vers moi :

— Pourtant non, je ne suis pas aussi gâteux que vous le pensez ! Nous rapporterons le chapeau, certes, mais plus tard. Nous le rapporterons à la Maison du Péril et aurons ainsi le plaisir de revoir la charmante miss Nick.

— Poirot, balbutiai-je, vous êtes tombé amoureux.

— Elle est jolie fille, non ?

— Vous l'avez vue comme moi, alors pourquoi me posez-vous la question ?

— Parce que, hélas ! mon jugement se trouble. Aujourd'hui tout ce qui est jeune me semble beau. Ah ! jeunesse, jeunesse... C'est la tragédie des gens de mon âge. Aussi fais-je appel à vous ! Vous êtes un peu vieux jeu, certes, avec toutes ces années passées en Argentine. Vous en êtes encore à admirer la mode d'il y a cinq ans. Vous êtes pourtant plus moderne que je ne le suis. Alors est-elle jolie ? Est-elle capable d'éveiller le... euh... le désir sexuel ?

— Vous êtes aussi bon juge que moi, Poirot. La réponse est oui, bien sûr. Mais pourquoi vous intéresse-t-elle à ce point ?

— J'ai l'air intéressé ?

— Il n'y a qu'à écouter ce que vous venez de dire.

— Vous vous méprenez, mon bon ami. Cette jeune fille m'intéresse peut-être, je n'en disconviens pas. Mais c'est encore son chapeau qui me fascine le plus.

Je le dévisageai. Il avait l'air sérieux comme un pape.

— Oui, Hastings, son chapeau. (Il me le tendit.) Et savez-vous pourquoi ?

— Il est élégant mais plutôt banal, dis-je, au comble de la perplexité. Des tas de jeunes femmes en portent de semblables.

— Pas d'exactement semblables.

Je l'examinai de plus près.

— Eh bien, Hastings ?

— C'est un feutre tout ce qu'il y a de classique. Il semble de bonne qualité...

— Je ne vous ai pas demandé de me décrire ce chapeau. Il est évident que vous êtes incapable de voir ce qui vous crève les yeux. C'est incroyable, mon pauvre Hastings, à quel point vous ne voyez jamais rien ! Cela me sidère toujours ! Mais enfin regardez, cher vieil imbécile — inutile de faire appel à vos cellules grises — vos yeux suffiront. Regardez... mais regardez donc !

Enfin je vis ce qu'il voulait me faire remarquer. Le chapeau tournait lentement au bout de son index et ce doigt passait à travers le bord. Quand il vit que j'avais compris, il ôta son doigt et me tendit le chapeau. C'était un petit trou net et bien rond dont je n'arrivais pas à déterminer l'origine.

— Avez-vous remarqué comme miss Nick a tres-
sailli quand une abeille l'a frôlée.

L'abeille sous son bonnet — le trou dans son chapeau.

— Mais ce n'est pas une abeille qui a pu faire un
trou pareil.

— Exact. C'est impossible. Quelle perspicacité,
Hastings ! Mais une balle, en revanche, oui, mon
bon.

— Une balle ?

— Mais oui, une balle comme celle-ci.

Il tendit la main : sur sa paume ouverte reposait
un petit objet rond.

— Une balle perdue, mon bon ami. C'est elle qui
est tombée sur la terrasse pendant que nous parlions. Une balle perdue !

— Vous voulez dire que...

— Je veux dire qu'à un millimètre près, cette balle
ne traversait pas ce chapeau mais la tête de notre
jeune amie. Maintenant, vous comprenez mon intérêt, Hastings ? Comme vous aviez raison quand
vous me disiez de ne pas employer le mot « impossible » ! Eh oui, je ne suis qu'un homme. Mais ce
candidat au meurtre a fait une grossière erreur en
tirant sur sa victime à quelques mètres d'Hercule
Poirot ! Pas de chance ! Vous saisissez maintenant
pourquoi il faut que nous allions à la Maison du
Péril et que nous parlions à cette jeune personne ?

» "En trois jours, j'ai échappé à la mort à trois
reprises." N'est-ce pas ce qu'elle nous a dit ? Il faut
nous dépêcher, Hastings. Le danger n'est pas loin.

2

LA MAISON DU PÉRIL

— Poirot, j'ai réfléchi.

— Excellent exercice, mon bon ami. Poursuivez sur cette voie.

Nous déjeunions l'un en face de l'autre à une petite table près de la fenêtre.

— Le coup a dû être tiré tout près de nous. Et pourtant, nous n'avons rien entendu.

— Or, vous estimez que, dans la quiétude matinale troublée par le seul clapotis des vagues, nous aurions dû l'entendre ?

— Oui, c'est bizarre.

— Mais non. L'oreille s'habitue vite à certains bruits. Toute la matinée, des hors-bord ont croisé dans la baie. Vous vous êtes plaint au début, et puis vous n'y avez plus prêté attention. Pourtant, quand un de ces bateaux passe, on n'entendrait pas crépiter une mitrailleuse.

— C'est vrai.

— Tiens, murmura Poirot, voici notre jeune beauté et ses amis. Il semble qu'ils viennent déjeuner. Il va falloir que je lui rende tout de suite son chapeau. Bah ! je n'en ai plus vraiment besoin. Et puis cette affaire est assez grave pour justifier que nous nous rendions quand même chez elle sans tarder.

Se levant d'un bond, il traversa le hall avec agilité et, après une courbette, il tendit son chapeau à miss Buckley alors qu'elle se mettait à table avec ses compagnons.

Ils étaient quatre : Nick Buckley, le capitaine Challenger et un autre couple. De là où nous étions, nous les voyions mal. On entendait fuser de temps à autre le grand rire du marin. Il avait l'air d'un garçon simple et gentil et je le trouvais déjà sympathique.

Pendant le repas, mon ami fut distrait et parla peu. Il émiettait son pain, parlait tout seul et ne cessait de remettre de l'ordre sur la table. J'essayai d'engager la conversation puis finis par abandonner, las de discourir dans le vide.

Tant que les autres n'eurent pas terminé leur repas, il s'éternisa à table. Puis il se leva en même temps qu'eux. Ils s'installaient en cercle au salon quand Poirot se dirigea vers eux de son pas le plus martial et, s'adressant à Nick :

— Chère mademoiselle, j'ai l'honneur de solliciter une brève entrevue avec vous.

Je la devinai aussi surprise par la requête que par le langage pompeux du petit Belge. Elle devait craindre que cet étranger bizarre et cérémonieux ne devienne encombrant. Je comprenais — oh combien ! — sa réaction. Elle s'écarta du groupe d'assez mauvaise grâce.

Poirot prononça quelques mots rapides à voix basse et une expression de surprise se peignit sur le visage de la jeune fille.

Abandonné à moi-même, je me sentais assez mal à l'aise. Challenger eut le bon goût de venir à mon secours : il m'offrit une cigarette et se mit à parler de la pluie et du beau temps. Après nous être mutuellement observés, nous nous sentions des affinités. J'avais l'impression qu'il me trouvait plus sympathique que l'homme avec lequel il avait déjeuné et que je pouvais d'ailleurs étudier à loisir. C'était un grand jeune homme blond au nez proéminent, hautain, très raffiné, encore que d'une élégance un peu trop recherchée. Il parlait en traînant sur les syllabes et il émanait de toute sa personne une onctuosité qui me déplaisait souverainement.

La femme, assise en face de moi dans un gros fauteuil, venait de retirer son chapeau. Son visage, peu banal, avec ses cheveux d'un blond très clair, coiffés en bandeaux lisses et noués sur la nuque, rappelait celui d'une madone diaphane. Malgré des traits émaciés et un teint d'une pâleur impression-nante, elle était la séduction même. Ses grands yeux gris aux pupilles dilatées me fixaient d'un air dis-trait. Soudain elle m'adressa la parole :

— Asseyez-vous donc avec nous, le temps que votre ami en ait terminé avec Nick.

Sa voix, affectée, était fascinante et s'alliait à mer-veille avec sa beauté évanescente : on ne pouvait imaginer créature plus nonchalante. Non pas physi-quement, moralement plutôt, comme désabusée, revenue de tout.

— Ce matin, miss Buckley a très aimablement secouru mon ami qui s'était tordu la cheville, expliquai-je tout en acceptant son invitation.

— C'est ce que nous a raconté Nick.

Son regard me jaugeait, toujours avec le même détachement.

— J'espère que sa cheville va mieux.

— Ce n'était qu'une entorse bénigne, précisai-je en me sentant rougir.

— Tant mieux. Je suis ravie de voir que Nick n'a pas tout inventé. Voyez-vous, c'est la plus exquise petite menteuse que la terre ait jamais portée. À ce point, c'est phénoménal ; cela devient un don !

Je ne savais plus quoi dire et mon embarras l'amusa.

— Nick est l'une de mes plus vieilles amies, ajouta-t-elle. Mais j'ai toujours trouvé que la loyauté était une vertu assommante, pas vous ? Elle est l'apanage des Écossais, tout comme le sens de l'économie et le respect du jour du Seigneur. Nick ment comme elle respire, n'est-ce pas, Jim ? Cette histoire rocambolesque avec les freins de sa voiture ! Jim affirme qu'ils étaient en parfait état.

L'homme aux cheveux blonds répondit d'une voix aux chaudes intonations :

— Et je m'y connais en bagnoles !

Il tourna la tête à demi. Dehors une longue torpédo rouge — plus longue et plus rouge qu'il n'était vraisemblable — faisait pâlir les autres véhicules en stationnement. Dotée d'un interminable capot étincelant, c'était une voiture de grand luxe.

— C'est la vôtre ? demandai-je, pris d'une inspiration subite.

Il acquiesça.

Je me retins de dire que je l'aurais parié.

C'est alors que Poirot nous rejoignit. Je me levai, il me prit par le bras, salua à la ronde et m'entraîna au-dehors.

— Tout est arrangé, mon bon ami. Nous irons chez miss Buckley à 6 heures et demie. Elle sera là. Oui, elle sera sûrement rentrée... saine et sauve.

Il semblait préoccupé.

— Que lui avez-vous dit ?

— Je lui ai demandé de m'accorder un entretien le plus tôt possible. Elle était un peu réticente, bien sûr. Elle doit se demander qui je suis : un goujat, un parvenu, un metteur en scène ? Elle était libre de refuser, mais comme je l'ai prise au dépourvu, elle m'a laissé entendre qu'elle serait de retour à 6 heures et demie. Ouf !

Je lui fis remarquer que dans ce cas tout allait pour le mieux, mais il ne m'écoutait pas. En fait, Poirot sautait du coq à l'âne avec une facilité déconcertante. Tout l'après-midi, il fit les cent pas dans notre suite, à l'hôtel. Il parlait tout seul et ne cessait de déplacer les bibelots pour les remettre aussitôt en place, d'en corriger l'angle, voire l'inclinaison. Et quand j'essayais de lui parler, il se contentait de gesticuler et de secouer la tête.

Nous finîmes par quitter l'hôtel vers 6 heures.

— Cela paraît incroyable, fis-je remarquer en descendant les marches de la terrasse. Essayer de tuer quelqu'un dans le jardin d'un hôtel ! Seul un fou ferait une chose pareille.

— Je ne suis pas d'accord avec vous. Vu sous un certain angle, ce serait même un procédé quasiment sans risque. D'abord, le jardin est désert. Dans les hôtels, les gens se comportent comme des moutons : une terrasse surplombe la baie, et tout le monde s'y installe ! Moi qui suis un excentrique, je vais m'asseoir à une terrasse qui donne sur le jardin. Et même de cet endroit, je n'ai rien vu. Il y a beaucoup d'endroits où se mettre à couvert. Voyez vous-même : des arbres, des touffes de palmiers, des buissons en fleur. Idéal pour se dissimuler confortablement et, à l'abri des regards, attendre que miss Buckley passe dans le coin. Venir de la Maison du Péril par la route est beaucoup plus long. Nick est du genre à être toujours en retard et à prendre les raccourcis !

— Il n'empêche que le risque était gros. Il pouvait se faire voir, et un coup de feu passe difficilement pour un accident.

— Pas pour un accident... non.

— Que voulez-vous dire ?

— Rien, j'ai ma petite idée. Elle se vérifiera peut-être par la suite. Je laisse ça de côté pour le moment. Revenons plutôt à ce que je disais : vu sous un certain angle...

— Lequel ?

— Vous devriez certainement pouvoir me le dire, Hastings.

— Je ne voudrais pas vous priver du plaisir de briller à mes dépens !

— Vous maniez à ravir le sarcasme et l'ironie ! Eh bien, mon cher, un détail me saute aux yeux : le mobile doit être bien caché. Sinon le risque serait effectivement considérable ! Les gens se demanderaient : « Est-ce Untel ou Untel ? Où se trouvaient-ils quand le coup est parti ? » Non, le meurtrier, le meurtrier en puissance, devrais-je dire, est difficile à démasquer. Et c'est ce qui me fait peur, Hastings ! Oui, en cet instant, j'ai peur. Je tente de me rassurer en me disant : « Ils sont quatre. Rien ne peut se produire tant qu'ils sont ensemble. Ce serait de la folie ! » Et néanmoins, je suis inquiet. J'aimerais en savoir plus sur ces prétendus accidents !

Tout à coup il fit demi-tour.

— Il est encore tôt. Passons par la route. Le jardin ne nous révélera rien. Allons plutôt inspecter la voie la plus orthodoxe pour se rendre à la Maison du Péril.

Nous empruntâmes un chemin qui partait de l'entrée principale de l'hôtel et grimpait à flanc de coteau à main droite. En haut, un écriteau *Propriété privée* barrait une petite allée.

Nous suivîmes le raidillon et, cent mètres plus loin, un tournant abrupt se terminait sur les deux battants délabrés d'un portail auquel une bonne couche de peinture n'aurait pas fait de mal. Sur la droite, à l'intérieur de la propriété, se dressait une maisonnette en contraste saisissant avec le portail et l'allée envahie par les mauvaises herbes. Le petit jardin qui la ceinturait semblait soigné avec amour et de coquets rideaux encadraient les fenêtres fraîchement repeintes.

Un homme vêtu d'un vieux veston défraîchi jardinait une plate-bande. Il se releva en entendant grincer le portail et se tourna vers nous. Un mètre quatre-vingts, la soixantaine, un visage buriné par le vent. Pratiquement chauve, les yeux bleus brillant d'un éclat malicieux, il avait l'air d'un très brave type.

Il nous salua au passage.

Je lui répondis aimablement et, tout en montant l'allée, je sentis dans notre dos son regard curieux.

— Je me demande..., murmura Poirot qui n'alla pas jusqu'à préciser sa pensée.

La maison proprement dite était immense et plutôt sinistre. Des arbres l'entouraient jusqu'à hauteur du toit. Elle avait grand besoin de réparations. Rien de tout cela n'échappa à Poirot tandis qu'il tirait la sonnette — une de ces sonnettes archaïques que seule une force de titan pouvait mettre en branle et dont l'écho lugubre résonna à l'infini.

Une femme d'un certain âge vint nous ouvrir, toute de noir vêtue, le visage inexpressif, plutôt rébarbative.

Miss Buckley n'était, semblait-il, pas rentrée. Poirot expliqua que nous avions rendez-vous. Il eut quelque mal à convaincre la digne personne, qui était du genre à se méfier des étrangers. Je me plus à imaginer que si elle accepta de nous faire entrer, ce fut surtout sur ma bonne mine. Nous fûmes invités à pénétrer dans le salon pour y attendre miss Buckley.

Rien de lugubre dans cette pièce, baignée de soleil et qui donnait sur la mer. Plutôt quelconque, le mobilier offrait un saisissant mélange de styles — l'ultra-moderne de médiocre qualité y côtoyait de bons gros vieux meubles victoriens. Les rideaux étaient de brocart fané, mais les housses étaient neuves et de couleurs vives. Quant aux coussins, ils étaient à hurler. Au mur, des portraits de famille de qualités inégales. Par terre dans un coin, un gramophone et des disques épars, un poste de radio. Pas ou peu de livres. Un journal grand ouvert sur le canapé. Poirot s'en empara puis le reposa avec une grimace : c'était le *Weekly Herald and Directory* — édition de St Loo, s'entend. Puis, saisi d'une inspiration, il changea d'avis et se plongea dans la lecture d'un entrefilet. C'est alors que la porte s'ouvrit sur Nick Buckley.

— Ellen, apportez-nous de la glace ! lança-t-elle avant de s'adresser à nous. Eh bien, me voici. Je me suis débarrassée de la bande et je meurs de curiosité. Suis-je l'héroïne que recherchent désespérément les metteurs en scène ? Vous aviez l'air si solennel tout à l'heure, ajouta-t-elle à l'intention de Poirot, que c'est à cela que j'ai tout de suite pensé. Offrez-moi un pont d'or !

— Hélas ! chère miss Buckley..., commença mon ami.

— Oh, ne me détrompez pas ! supplia-t-elle. Ne me dites pas que vous peignez des miniatures et que vous voulez m'en vendre une. Mais non... Pas avec cette moustache-là. Pas si vous résidez au *Majestic*, où la cuisine est la plus mauvaise et les prix les plus exorbitants de toute l'Angleterre. C'est im-pos-sible !

La femme qui nous avait ouvert la porte apportait maintenant un plateau avec des bouteilles et de la glace. Tout en parlant, Nick nous préparait des cocktails avec dextérité. Ce fut le silence de Poirot — tellement inhabituel — qui finit par l'impressionner. Elle s'interrompit tout à coup et demanda :

— Eh bien ?

— Eh bien, voici ce que je vous souhaite, mademoiselle. (Et il prit le verre qu'elle lui tendait.) À votre santé, mademoiselle, et qu'elle se maintienne le plus longtemps possible !

La jeune fille n'était pas sotte. Et elle ne manqua pas de réagir à cette déclaration.

— Est-ce que... Euh... Y a-t-il un... problème ?

— Oui, chère mademoiselle. Regardez ceci...

Poirot ouvrit la main et montra la balle dont elle s'empara non sans étonnement.

— Savez-vous ce que c'est ?

— Oui, bien sûr. C'est une balle de revolver.

— Exactement, chère mademoiselle. Ce n'est pas une abeille qui vous a frôlée ce matin, c'est cette balle.

— Vous... vous voulez dire qu'un fou dangereux s'amuse à tirer à balles dans le jardin de l'hôtel ?

— À ce qu'il paraît.

— Ça, par exemple ! s'exclama Nick sans chercher à masquer son étonnement. On peut dire que je suis née sous une bonne étoile ! C'est la quatrième fois...

— Oui, enchaîna Poirot, la quatrième. Et j'aimerais que vous me racontiez vos trois premiers... « accidents ».

Et, comme elle le regardait avec de plus en plus de stupéfaction :

— Je voudrais m'assurer que c'étaient bien des accidents.

— Mais bien sûr ! À quoi pensez-vous donc ?

— Préparez-vous à un gros choc, chère mademoiselle : je crois que quelqu'un veut vous tuer.

Nick se contenta d'éclater de rire. Cette idée semblait l'amuser follement.

— Mais c'est divin ! Cher monsieur, qui pourrait bien en vouloir à ma vie ? Je ne suis pas la belle héritière richissime que vous croyez. Comme j'aimerais que l'on essaie de me supprimer, cela mettrait du piment dans ma vie ! Je suis désolée de vous décevoir, mais cela paraît hors de question !

— Décrivez-moi ces accidents, s'il vous plaît.

— Si vous voulez, mais cela n'a rien de passionnant. Au contraire : j'ai un grand cadre accroché au-dessus de mon lit. Le cordon a lâché et il est tombé pendant la nuit. Comme une porte claquait dans la maison, je me suis levée pour aller la fermer et c'est grâce à ça que j'en ai réchappé. Sinon, j'aurais eu le crâne réduit en bouillie. Voilà pour le n° 1.

— Poursuivez, chère mademoiselle, dit Poirot sans l'ombre d'un sourire. Passons au n° 2.

— Oh ! c'est encore plus insignifiant. Il y a un chemin qui serpente le long de la falaise et descend vers la mer. C'est par là que je passe pour aller me baigner. On peut plonger des rochers. Un bloc de pierre a dû se détacher. Il a dévalé la pente et ne m'a évitée que de justesse.

» Le troisième accident n'a rien de commun avec les deux premiers. Cette fois, ce sont les freins de ma voiture qui ont fonctionné de travers — ou n'ont pas fonctionnné du tout, je n'en sais rien, je ne connais rien à la mécanique. Le garagiste me l'a expliqué, mais pour moi c'est du chinois. Bref, si, passé le portail, je m'étais engagée dans la côte, j'aurais terminé ma course au beau milieu de la mairie. Ça aurait fait du joli ! Légère modification du profil de la mairie et disparition totale de votre servante ! Mais comme j'oublie toujours quelque chose, il a fallu que je rebrousse chemin. Du coup, j'ai atterri dans la haie de lauriers.

— Vous ignorez l'origine de cette panne ?

— Allez interroger le patron du garage Mott. Il vous le dira. C'était mécanique : un boulon dévissé ou un truc dans ce genre-là. Je me suis demandé si ça n'était pas le fils d'Ellen, la domestique qui vous a ouvert, qui avait bricolé les freins. Les gamins adorent traîner autour des voitures. Bien sûr, Ellen m'a juré qu'il ne l'avait pas approchée. Quoi qu'en dise Mott, je crois qu'un boulon quelconque a dû se dévisser à la longue.

— Où garez-vous votre voiture ?

— Derrière la maison.

— Dans une remise fermée à clé ?

Les yeux de Nick s'arrondirent de surprise :

— Non ! Bien sûr que non !

— N'importe qui pourrait la saboter sans se faire remarquer ?

— Euh..., oui, sans doute. Mais c'est stupide.

— Non, ma chère mademoiselle, ça n'est pas stupide. Vous ne comprenez pas que vous courez un danger. Un grave danger. C'est moi qui vous le dis ! Savez-vous qui je suis ?

— Non, souffla Nick.

— Je suis Hercule Poirot.

— Ah ! fit-elle d'une voix morne. Ah, bon.

— Mon nom vous dit quelque chose ?

— Euh... oui. Oui, bien sûr.

Elle s'agita sur sa chaise et son regard ressembla à celui d'un animal traqué. Poirot la dévisagea avec attention.

— Vous avez l'air embarrassé. Ainsi donc vous n'avez pas lu mes livres ?

— Non. Enfin pas tous. Mais votre nom m'est familier, bien sûr.

— Vous savez très bien mentir, chère petite mademoiselle. (Je tressaillis, me souvenant de notre conversation au *Majestic*.) J'avais oublié, vous êtes si jeune qu'il est normal que vous n'ayez jamais entendu parler de moi. La célébrité n'a qu'un temps. Mon ami va vous dire qui je suis.

Nick se tourna vers moi et, un peu gêné, je m'éclaircis la voix.

— Mr Poirot est... euh... était un grand détective.

— C'est tout ce que vous trouvez à dire, mon bon ami ! s'exclama Poirot. Mais voyons donc ! Expliquez à Mademoiselle que je suis l'unique, le meilleur, le plus grand détective qui ait jamais existé !

— Ça n'est plus nécessaire, répliquai-je froidement, puisque vous venez de le lui dire.

— Oui, mais c'est quand même plus agréable de

ne pas mettre sa modestie à rude épreuve et il n'est jamais bon de trop chanter ses propres louanges.

— À quoi bon posséder un chien s'il faut aboyer à sa place ? ironisa Nick. Au fait, comment s'appelle le chien ? Dr Watson, bien sûr.

— Je m'appelle Hastings, répondis-je du bout des lèvres.

— Hastings, 1066, récita Nick, moqueuse. Qui prétend que je ne sais rien ? Tout cela est vraiment formidable ! Croyez-vous que quelqu'un veuille réellement se débarrasser de moi ? Ce serait palpitant. Mais cela n'arrive que dans les livres, jamais dans la réalité. Monsieur Poirot, vous êtes comme le chirurgien qui a inventé une opération, ou le médecin qui a découvert une nouvelle maladie et qui veut que tout le monde en souffre.

— Sacré tonnerre, tempêta Poirot, soyez sérieuse ! Vous, les jeunes d'aujourd'hui, vous ne prenez jamais rien au sérieux. Vous auriez trouvé drôle, ma chère mademoiselle, que l'on retrouve ce matin dans les jardins de l'hôtel votre charmant cadavre avec un joli petit trou dans la tête plutôt que dans votre chapeau ? Cela ne vous aurait pas fait rire, hein ?

— Un rire d'outre-tombe, au-dessus d'une table tournante... Non, sérieusement, monsieur Poirot, vous êtes très gentil et je vous remercie de tout le mal que vous vous donnez, mais c'était sûrement un accident.

— Vous êtes têtue en diable !

— C'est de là que vient mon surnom. Dans le pays, on racontait que mon grand-père avait vendu son âme au diable et tout le monde l'appelait le vieux Nick. Vous savez que c'est l'un des surnoms que l'on donne au Malin dans notre pays. C'était un vieil homme insupportable, mais très drôle, et je l'adorais. Comme je ne le quittais jamais d'une semelle, on nous appelait le vieux Nick et la petite Nick. En fait je m'appelle Magdala.

— Prénom peu répandu.

— C'est un prénom traditionnel dans ma famille. Il y a eu beaucoup de Magdala Buckley. Tenez, en voilà une là-haut.

Et elle désigna du menton un tableau au mur.

— Ah ! dit Poirot.

Après avoir jeté un coup d'œil à un autre portrait accroché au-dessus de la cheminée, il demanda :

— C'est votre grand-père ?

— Oui. Vous ne trouvez pas ce portrait saisissant ? Jim Lazarus voulait me l'acheter, mais je ne veux pas le vendre. C'est que je l'aime beaucoup ce vieux Nick.

Il y eut un silence puis Poirot reprit avec le plus grand sérieux :

— Revenons à nos moutons, ma chère petite. Et je vous en conjure, ne plaisantez pas. Vous êtes en danger. Aujourd'hui quelqu'un vous a tiré dessus avec un Mauser.

— Un Mauser ? répéta-t-elle troublée.

— Oui, pourquoi ? Vous connaissez quelqu'un qui en possède un ?

— Moi, répondit-elle avec un sourire.

— Vous ?

— Il appartenait à mon père. C'était son arme pendant la guerre et depuis, il n'a jamais quitté la maison. Je l'ai encore vu traîner l'autre jour dans ce tiroir.

Elle montrait du doigt un vieux bureau. Puis, saisie d'une inspiration subite, elle traversa la pièce. Elle ouvrit le tiroir et se retourna, interdite :

— Il... il a disparu !

3

DES ACCIDENTS ?

À partir de cet instant, la conversation prit une autre tournure. Jusqu'alors, Poirot et la jeune fille avaient été à deux doigts du malentendu. Tout les séparait : la barrière de l'âge, ainsi que la réputation et la renommée de Poirot dont la jeune fille n'avait pas la moindre idée. Les gens de sa génération ne connaissaient que les héros de l'actualité immédiate, et donc les avertissements du célèbre détective ne lui faisaient pas beaucoup d'effet. Pour elle, il n'était qu'un étranger d'un certain âge, plutôt ridicule et dont la tendance à tout exagérer était un tantinet grotesque.

Cette attitude consternait Poirot et portait un rude coup à son amour-propre. Car si le monde entier se devait de connaître le prestigieux Hercule Poirot, ne voilà-t-il pas qu'il était un parfait inconnu pour cette gamine ! Ça lui servira de leçon, pensai-je en mon for intérieur. Mais en l'occurrence, ça n'en était pas moins fâcheux !

Pourtant l'affaire prenait un nouveau tournant avec la disparition du revolver, et Nick cessa de considérer tout cela comme une plaisanterie de mauvais goût. Elle changea donc d'attitude, même s'il était dans son caractère de traiter les choses à la légère.

— Voilà qui est bizarre, concéda-t-elle en s'asseyant sur le bras d'un fauteuil.

— Vous souvenez-vous de ma petite idée, Hastings ? me lança Poirot. J'avais raison ! Si miss Nick avait été tuée dans le jardin de l'hôtel, il se serait écoulé plusieurs heures avant qu'on ne découvre son cadavre. Il y a très peu de passage. Et à côté d'elle, comme par hasard, on aurait trouvé un revolver qui lui appartient ! Cette bonne Mrs Ellen l'aurait identifié sans problème. On aurait parlé alors de soucis, d'insomnies...

Nick s'agita.

— C'est vrai, reconnut-elle. J'ai beaucoup de soucis en ce moment. Tout le monde me reproche ma nervosité.

— Ce qui fait que l'on aurait conclu à un suicide. Il n'y aurait naturellement eu que vos empreintes sur le revolver, cela aurait été très simple et très convaincant.

— C'est follement drôle, approuva Nick d'une voix qui, à ma grande satisfaction, laissait plutôt entendre le contraire.

— N'est-ce pas ? dit Poirot en la prenant au mot. Vous comprenez désormais pourquoi il ne faut pas que cela se reproduise. Quatre tentatives, mais peut-être que la cinquième sera la bonne.

— Faites avancer le corbillard, murmura Nick.

— Mais nous sommes là avec mon ami.

L'emploi du « nous » me fit plaisir, car Poirot avait parfois tendance à ignorer mon existence.

— Miss Buckley, ne craignez rien, ajoutai-je, nous vous protégerons.

— C'est vraiment trop gentil de votre part, ironisa Nick, tout ceci est tellement palpitant.

En dépit de ses manières détachées et de son ton

désinvolte, je notai une lueur d'inquiétude dans ses yeux.

— Faisons d'abord le point de la situation, reprit Poirot d'un ton amical en s'installant en face d'elle. Commençons par la question rituelle : avez-vous des ennemis ?

— Non, je, ne crois pas, répondit-elle presque à regret.

— Bien. Écartons cette possibilité et passons aux questions qu'on pose au cinéma ou dans les romans policiers. À qui profiterait votre mort ?

— Alors là, je ne vois personne. C'est pour ça que je ne comprends pas à quoi peut rimer toute cette histoire. Il y a bien cette vieille bicoque, mais elle est pourrie d'hypothèques, le toit fuit et il n'y a ni mine d'or ni quoi que ce soit d'intéressant enterré sous la falaise.

— Elle est hypothéquée ?

— Oui, il a bien fallu que je m'y résigne. J'ai eu à régler deux successions coup sur coup avec tous les frais que cela entraîne : d'abord celle de mon grand-père, il y a six ans, puis celle de mon frère. Voilà qui a mis un point final à mon opulence.

— Et votre père ?

— Il a été blessé pendant la guerre et rapatrié, puis il a attrapé une pneumonie dont il est mort en 1919. Maman est morte quand j'étais bébé. J'ai vécu ici avec mon grand-père. Papa et lui ne s'entendaient pas, ce qui ne m'étonne pas. Du coup, mon père s'est toujours débrouillé pour me laisser ici pendant qu'il parcourait le monde. Mon frère, Gérald, n'était pas non plus en très bons termes avec grand-père. Je pense qu'il en aurait été de même pour moi si j'avais été un garçon. J'ai eu de la chance d'être une fille — grand-père aimait dire que j'étais son portrait tout craché et que j'étais aussi maligne que lui. (Elle ajouta en riant :) Je pense que c'était un sacré numéro. Et il a toujours eu une chance incroyable. On disait de lui que tout ce qu'il touchait se transformait en or. Mais il était joueur et tout ce qu'il gagnait, il le remettait en jeu. À sa mort, excepté la maison et le terrain, il n'a rien laissé. J'avais seize ans et mon frère, vingt-deux. Gérald s'est tué dans un accident de voiture il y a trois ans, et voilà comment j'ai hérité de la propriété.

— Quel est votre parent le plus proche, chère mademoiselle ?

— Charles, mon cousin. Charles Vyse. Il est avocat en ville. C'est un brave garçon, pour lequel j'ai beaucoup d'estime, mais qui m'ennuie à mourir. Il me donne toujours des bons conseils et essaie de m'empêcher de faire des bêtises.

— Il gère vos affaires ?

— C'est un bien grand mot, compte tenu de l'importance de mon patrimoine ! Il s'est occupé de l'hypothèque et m'a conseillé de louer le pavillon.

— Ah oui, le pavillon. J'allais vous en parler. Vous le louez ?

— À des Australiens qui s'appellent Croft. Le cœur sur la main, si vous voyez ce que je veux dire. Mais un peu envahissants : ils m'inondent de branches de céleri et de petits pois. Ils sont très perturbés qu'on n'entretienne pas le jardin. Je les trouve en fait assez casse-pieds, surtout lui. Son amitié est vraiment débordante. Quant à Mrs Croft, la pauvre femme est infirme et passe ses journées allongée. Enfin, ils paient leur loyer et c'est l'essentiel.

— Depuis combien de temps sont-ils là ?

— Six mois.

— Je vois. Et ce cousin ? Du côté de votre père ou de votre mère ?

— De ma mère. Elle était née Amy Vyse.

— À part ce cousin, vous n'avez pas d'autres parents ?

— J'ai des cousins très éloignés dans le Yorkshire. Des Buckley.

— C'est tout ?

— Oui.

— Vous êtes très seule.

Nick le regarda, étonnée.

— Seule ? Quelle drôle d'idée ! Vous savez, je ne viens pas souvent ici. La plupart du temps, je vis à Londres. J'ai toujours pensé qu'une famille, c'était plutôt encombrant. Quand vous en avez une, elle se mêle de tout et, en ce qui me concerne, je m'en passe très bien.

— Dans ce cas, ma chère mademoiselle, vous n'êtes donc pas à plaindre. Je vois que vous professez des idées modernes. Passons à votre maisonnée.

— Ma « maisonnée » ! Oh ! C'est un bien grand mot ! Elle se réduit à Ellen. Et à son mari qui me sert aussi de jardinier — pas très doué d'ailleurs. Ils ne me coûtent presque rien car je les loge avec leur fils. Pour moi seule, Ellen suffit amplement, et lorsque je reçois, on trouve toujours un extra à engager. Je donne une soirée lundi. C'est la semaine des régates.

— Lundi... et nous sommes samedi. Tiens, tiens... Maintenant, parlez-moi de vos amis, ma chère mademoiselle, ceux avec qui vous déjeuniez aujourd'hui, par exemple ?

— Eh bien, la jeune femme blonde s'appelle Freddie Rice, c'est ma meilleure amie. Elle a complètement raté sa vie. Elle a épousé une brute ; c'était non seulement un ivrogne et un drogué, mais en plus un cinglé de première catégorie. Elle a fini par le quitter il y a un an ou deux. Depuis, elle se laisse porter par les événements. Fasse le ciel qu'elle obtienne le divorce et qu'elle épouse Jim Lazarus.

— Lazarus ? L'antiquaire de Bond Street ?

— Oui. Jim est fils unique. Il roule sur l'or. Vous avez vu sa voiture ? Il est juif, bien sûr, mais plus que convenable. Il est follement épris de Freddie et on les voit partout ensemble. Ils sont au *Majestic* pour le week-end et s'installent lundi à la maison.

— Qu'est devenu le mari de Mrs Rice ?

— Cette loque ? Il a disparu de la circulation et personne ne sait ce qu'il est devenu. Cela complique terriblement la vie de Freddie. Comment voulez-vous qu'elle divorce si elle ignore où se trouve son mari ?

— Évidemment !

— Pauvre Freddie, dit Nick pensive, elle n'a pas eu de chance. Un jour, ils avaient réussi à mettre leur affaire au point. Elle l'avait repêché je ne sais où et lui avait mis le marché en main. Seul problème, il n'avait pas un sou pour emmener une femme à l'hôtel pour faire le constat d'adultère. Belle joueuse, elle lui a alors remis le pactole... qu'il s'est empressé d'empocher avant de s'évanouir dans la nature. Depuis, elle n'a plus jamais entendu parler de lui. Que dites-vous de cette muflerie ?

— Seigneur ! m'exclamai-je, horrifié.

— Mon ami est choqué, dit Poirot. Faites attention, mademoiselle, il est un peu vieux jeu. Il revient tout juste de la pampa argentine et il n'est pas encore habitué au langage des jeunes d'aujourd'hui.

— Il n'y a pas de quoi être choqué, dit Nick en ouvrant des yeux étonnés. Tout le monde sait bien que des gens pareils existent. Il n'empêche que je trouve cette façon d'agir dégoûtante. À cette époque-là, la pauvre Freddie était tellement fauchée qu'elle ne savait plus vers qui se tourner.

— Oui, ça n'est pas joli-joli. Et votre autre ami, ma chère petite mademoiselle ? Ce brave capitaine Challenger ?

— George ? Je le connais depuis toujours — enfin, depuis cinq ans. Il a un cœur d'or.

— Il souhaite vous épouser, n'est-ce pas ?

— Il aborde le sujet de temps en temps. Au petit

matin, après une réception, ou quand il en est à son deuxième porto.

— Mais cela vous laisse de marbre ?

— À quoi bon nous marier, George et moi ? Nous n'avons pas un radis, ni l'un ni l'autre. Et puis je crois que je m'ennuierais beaucoup avec lui, il est trop boy-scout, trop bien élevé. En plus, il aura bientôt quarante ans !

Je tiquai légèrement à cette remarque.

— C'est vrai qu'il a déjà un pied dans la tombe, approuva Poirot. Ne vous excusez pas, chère, chère petite mademoiselle. Je ne suis qu'un vieux grand-père. Maintenant dites-m'en plus sur ces accidents. Le tableau par exemple ?

— On l'a raccroché avec un autre cordon électrique neuf. Venez voir par vous-mêmes.

Elle nous conduisit dans sa chambre. Il s'agissait d'une peinture à l'huile dont le cadre était lourdement tarabiscoté. Elle était accrochée juste au-dessus de la tête de lit.

— Vous permettez ? murmura Poirot.

Ôtant ses souliers, il grimpa sur le lit. Il examina le tableau et le cordon électrique tressé, puis il soupesa l'ensemble avec précaution. Il redescendit en faisant une petite grimace.

— Ça ne doit pas être très agréable de recevoir ça sur le crâne. Il était accroché avec un cordon similaire ?

— Oui, mais moins solide. Cette fois-ci, j'en ai choisi un plus costaud.

— Je vous comprends. Avez-vous examiné l'ancien cordon ? Est-ce qu'il était effiloché à l'endroit de la cassure ?

— Il me semble que oui. Mais je n'ai pas fait très attention. Je n'avais aucune raison de m'y intéresser.

— C'est juste. J'aimerais pourtant voir ce bout de cordon électrique. L'a-t-on conservé quelque part ?

— Ça m'étonnerait. Les deux bouts pendouillaient de chaque côté du cadre. Je suppose que le domestique qui a raccroché le tableau a jeté le vieux cordon.

— Dommage ! J'aurais aimé l'examiner.

— Vous ne croyez donc pas qu'il s'agissait d'un simple accident ?

— Peut-être qu'il ne s'agissait, en l'occurrence, que d'un accident. C'est impossible à dire. Mais ce qui est arrivé aux freins de votre voiture, ça, je suis sûr que ça n'en est pas un. Quant au rocher qui vous a manqué de peu sur la corniche... pouvez-vous me montrer où cela s'est passé ?

Par le jardin Nick nous mena jusqu'au bord de la falaise. La mer scintillait à nos pieds. Un chemin rocailleux y descendait à pic. Nick nous désigna l'endroit et Poirot hocha pensivement la tête :

— Combien y a-t-il de portes pour pénétrer dans votre jardin ?

— L'entrée principale, à côté du pavillon, et une entrée de service à mi-chemin de l'allée. Il y a aussi une barrière du côté de la falaise. Elle donne sur le sentier qui zigzague de la plage jusqu'au *Majestic*. On peut même couper jusqu'aux jardins de l'hôtel par un trou dans la haie. C'est par là que je suis passée ce matin. Je prends toujours le raccourci par les jardins du *Majestic* pour aller en ville.

— Où travaille votre jardinier ?

— En général, il se la coule douce dans le potager, ou bien il ne bouge pas de l'atelier où il reste soi-disant à aiguiser de vagues cisailles.

— De l'autre côté de la maison ? N'importe qui peut donc entrer par ici et faire basculer un rocher sans se faire remarquer.

Nick frissonna brusquement.

— Vous... vous croyez vraiment que c'est ce qui s'est passé ? Je n'arrive pas à l'admettre. Ça me semble tellement ridicule.

Poirot sortit la balle de sa poche.

— Ceci n'est pas ridicule, chère petite mademoiselle, objecta-t-il doucement.

— Il s'agissait sûrement d'un fou.

— Peut-être. C'est sûrement un sujet de conversation fascinant pour les dîners en ville que de se
demander : tous les criminels sont-ils des fous ? Qui
sait s'ils ne souffraient pas d'une malformation de
leurs petites cellules grises. Il doit y avoir du vrai
là-dedans. Mais alors c'est du ressort du médecin.
Mon travail à moi est différent. Je me préoccupe de
l'innocent, donc, non du coupable ; de la victime,
non du criminel. C'est à vous que je pense pour
l'instant, chère mademoiselle, et non pas à l'inconnu
qui vous a attaquée. Vous êtes jeune et belle, le soleil
brille, le monde vous sourit, la vie et l'amour vous
tendent les bras. C'est à tout cela que je pense, très
chère miss Buckley. Dites-moi, depuis combien de
temps vos amis, Mrs Rice et Mr Lazarus, sont-ils là ?

— Freddie est dans la région depuis mercredi.
Elle a passé deux jours chez des amis du côté de
Tavistock et elle est arrivée ici hier. Quant à Jim, je
crois qu'il baguenaudait dans le coin.

— Et le capitaine Challenger ?

— Il habite Devonport. Il vient en voiture chaque
fois qu'il le peut, les week-ends la plupart du temps.

Poirot opina du chef. Nous remontions vers la
maison en silence quand il demanda soudain :

— Avez-vous une amie à qui vous pouvez faire
confiance ?

— Oui, Freddie.

— Et à part elle ?

— Je ne sais pas. J'en ai sans doute. Pourquoi ?

— Je désirerais qu'une de vos amies vienne ici le
plus tôt possible.

— Pardon ?

Déconcertée, Nick réfléchit un instant. Puis elle
hasarda :

— Il y aurait bien Maggie.

— Qui est-ce ?

— Une de mes cousines, qui vit dans le Yorkshire. Elle est d'une famille nombreuse, son père est pasteur. Maggie et moi avons presque le même âge et, l'été, elle vient parfois passer quelques jours à la maison. Elle est ennuyeuse comme la pluie, parfaite comme ça ne devrait pas être permis, et pas coquette pour deux sous. J'avais d'ailleurs envie de ne pas l'inviter, cette année.

— Au contraire. Votre cousine fera idéalement l'affaire. C'est exactement ce qu'il me fallait.

— D'accord, soupira Nick, je vais lui envoyer un télégramme. Je ne vois pas à qui d'autre je pourrais m'adresser. Tout le monde a déjà dû s'organiser. Enfin, si elle n'a rien de fracassant à faire dans le genre Amicale des Chorales paroissiales ou Kermesse des Rosières repenties, elle accourra ventre à terre. Qu'est-ce que vous espérez d'elle ?

— Pourrez-vous la faire dormir dans votre chambre ?

— Bien sûr.

— Elle ne trouvera pas cela bizarre ?

— Maggie ne pose jamais de questions à quiconque et ne s'en pose jamais à elle-même. Le croiriez-vous ? C'est une bonne chrétienne, pieuse et honnête. Je vais lui demander de venir lundi.

— Pourquoi pas demain ?

— Un dimanche ? Elle va croire que je suis mourante ! Non, lundi. Vous allez lui parler du sort funeste auquel je suis destinée ?

— Nous verrons. Vous avez encore le cœur à plaisanter ? Vous êtes bien courageuse.

— Bah ! ça change du train-train quotidien.

Cette dernière remarque, qui n'était pas dans le ton habituel, m'intrigua et je la regardai à la dérobée. J'eus l'impression qu'elle nous cachait encore quelque chose. Nous étions retournés au salon et

Poirot, assis sur le sofa, feuilletait le journal d'un geste machinal.

— Vous lisez ceci, mademoiselle ? demanda-t-il soudain.

— Le *Herald St Loo* ? Oh ! je ne le lis qu'une fois par semaine, pour avoir l'horaire des marées.

— Je vois. Au fait, mademoiselle, avez-vous déjà fait un testament ?

— Oui, il y a six mois, juste avant mon opération.

— Votre opération ?

— Oui, je me suis fait opérer de l'appendicite et on m'a conseillé de rédiger mon testament. Je me suis donc exécutée. Ça m'a donné l'impression divine d'être quelqu'un d'important !

— Et quels en sont les termes ?

— Je lègue la propriété à Charles et le reste, c'est-à-dire pas grand-chose, à Freddie. D'ailleurs, je pense que, selon toute probabilité, ce qu'il est convenu d'appeler le passif risque d'excéder l'actif.

Poirot approuva d'un air absent.

— Maintenant, il faut que nous partions. Au revoir, miss Buckley. Faites bien attention.

— À quoi ?

— Bonne question. C'est là que le bât blesse, à quoi faut-il faire attention ? Qui sait ? Mais faites-moi confiance, mademoiselle. Dans quelques jours, j'aurai découvert la vérité.

— En attendant, gare au poison, aux bombes, aux coups de revolver, aux accidents de voiture et aux fléchettes empoisonnées des Indiens Jivaros ! compléta Nick avec désinvolture.

— Ne vous moquez pas, mademoiselle, protesta Poirot d'un ton grave.

Au moment de franchir la porte, il ajouta :

— Au fait, combien Mr Lazarus vous a-t-il offert pour le portrait de votre grand-père ?

— Cinquante livres.

— Tiens donc, constata Poirot en se retournant

Agatha Christie

vers le visage grave et austère qui trônait au-dessus de la cheminée.

— Mais je vous l'ai dit, je ne veux pas me séparer de mon vieux Nick.

— Non, bien sûr, murmura Poirot, pensif. Non, je comprends ça très bien.

4

IL Y A QUELQUE CHOSE DE LOUCHE !

— Poirot, j'ai oublié de vous raconter quelque chose, dis-je dès que nous nous trouvâmes sur la route.

— Quoi donc, mon bon ami ?

Je lui racontai la version de Freddie Rice au sujet de l'accident de voiture de Nick.

— Tiens ! Comme c'est intéressant ! C'est vrai, certains individus égocentriques et hystériques essaient d'attirer l'attention sur eux en racontant qu'ils ont échappé à la mort par miracle. Ils vont jusqu'à débiter des histoires rocambolesques montées de toutes pièces. Oui, cela existe. Il y en a même qui n'hésitent pas à se mutiler pour qu'on les prenne au sérieux.

— Vous ne pensez pas que...

— ...que miss Nick soit du genre à faire ça ? Non. Vous avez remarqué, Hastings, le mal que nous avons eu à la convaincre du danger qui la menace. Elle n'est qu'à moitié persuadée du sérieux de l'affaire. Cette petite est bien de son temps. Néanmoins la réflexion de Mrs Rice est intéressante. Pourquoi a-t-elle dit cela ? Même si c'était vrai, je n'en vois pas la nécessité, c'est plutôt maladroit si vous voulez mon avis.

— Vous avez encore une fois raison. C'est venu dans la conversation comme un cheveu sur la soupe — pour parler vulgairement —, et je n'ai pas vraiment compris pourquoi.

— Curieux... J'aime voir apparaître ce genre de petits détails. Ils ont toujours une signification et me montrent la voie à suivre.

— Laquelle ?

— Vous avez mis le doigt sur une faille, mon bon ami. Mais laquelle ? Hélas, nous n'en saurons rien tant que nous n'aurons pas progressé.

— Pourquoi avez-vous insisté pour que sa cousine vienne s'installer ici ?

Poirot s'arrêta en agitant son doigt sous mon nez.

— Réfléchissez une seconde, Hastings ! s'exclama-t-il avec véhémence. Nous sommes paralysés, pieds et poings liés ! C'est tout simple de poursuivre un assassin quand le crime a été commis. Pour quelqu'un de ma trempe, du moins, c'est un jeu d'enfant. Le meurtrier a pour ainsi dire signé son forfait. Mais il n'y a pas eu ici de meurtre, et nous ne voulons précisément pas qu'il y en ait. Débusquer un criminel avant qu'il ne passe à l'action, voilà un problème beaucoup plus difficile à résoudre.

» Notre but immédiat est d'assurer la sécurité de notre jeune amie. Et la tâche n'est pas aisée du tout, Hastings. Nous ne pouvons la surveiller jour et nuit, ni lui envoyer un policier comme ange gardien. Vous vous voyez passer la nuit dans la chambre d'une jeune fille ? Oh, cette affaire est hérissée d'embûches !

» En revanche nous pouvons compliquer la tâche de notre assassin. Non seulement nous prévenons miss Nick mais, en plus, nous la flanquons d'un témoin, impartial de surcroît. Il faudra que notre homme soit particulièrement habile pour surmonter ces deux obstacles.

Changeant de ton, il me confia tout à coup :

— Mais je crains qu'il ne soit très fort, justement. Et cela m'inquiète.

— Vous me faites peur, Poirot.

— Moi aussi, j'ai peur. Écoutez-moi, mon bon ami, ce journal, le *St Loo Herald*, il avait été ouvert et on l'avait replié de manière à mettre en évidence un entrefilet qui disait : « *Parmi les hôtes résidant au* Majestic, *on remarque la présence de M. Hercule Poirot et du capitaine Hastings.* » Imaginez que quelqu'un ait lu ces lignes. Tout le monde me connaît...

— Sauf miss Nick, rappelai-je avec malice.

— C'est une tête de linotte ! Elle ne compte pas. Mais un homme sérieux, un criminel, lui, connaîtrait mon nom. Et il aurait peur ! Il hésiterait ! « Comment ? J'ai essayé trois fois de la tuer et voilà qu'Hercule Poirot arrive. Est-ce une coïncidence ? » Mais il tremblerait que ce n'en soit pas une. Que feriez-vous à sa place ?

— Je me cacherais en effaçant mes traces, suggérai-je.

— Oui, oui... ou alors, s'il est vraiment audacieux, il frappera vite, sans perdre de temps... Avant que je n'aie commencé mon enquête. Pouf ! miss Nick sera morte. Voilà ce qu'il fera, cet homme résolu.

— Pourquoi voulez-vous que quelqu'un d'autre que miss Buckley ait lu cette annonce ?

— Miss Buckley n'a pas lu cette annonce. Mon nom ne lui disait rien. En l'entendant, son visage est resté impassible. D'ailleurs, elle n'ouvre ce journal que pour consulter l'horaire des marées. Et ce n'était pas la bonne page.

— Vous pensez que quelqu'un de la maison...

— De la maison ou de l'extérieur. C'est si facile d'entrer, les fenêtres sont toujours grandes ouvertes. Tous les amis de miss Buckley doivent aller et venir à leur gré.

— Vous avez une idée ? des soupçons ?

Poirot haussa les épaules.

— Pas le moins du monde. Le problème, c'est que je n'arrive pas à déceler le mobile, c'est ce qui fait la force du meurtrier, et cela explique qu'il ait agi avec une telle audace. À première vue, personne ne semble avoir la moindre raison de souhaiter la mort de la petite Nick. La propriété ? Le cousin en hérite, mais quel besoin a-t-il d'une maison hypothéquée, et qui tombe en ruine par-dessus le marché ? L'argument affectif ne tient pas puisqu'il n'est pas un Buckley. Nous rendrons bien sûr visite à ce Charles Vyse, mais cela me semble tiré par les cheveux. Pour ce qui est de la jeune femme, l'amie de cœur, avec son regard étrange et son air de madone alanguie...

— Cela vous a frappé, vous aussi ? demandai-je, stupéfait.

— Que vient-elle faire ici, et pourquoi raconte-t-elle que son amie est une menteuse ? C'est gentil, ça ! c'est amical ! Craint-elle une révélation de Nick ? Cela a-t-il un rapport avec la voiture ? Est-ce un avertissement ? La voiture a-t-elle été sabotée et par qui ? Le sait-elle ?

» Quant à ce beau jeune homme blond, Mr Lazarus, avec sa superbe automobile et son argent, quel rôle joue-t-il ?

» Le capitaine Challenger, lui...

— Il est en dehors de tout cela, répliquai-je avec vivacité. C'est un gentleman, j'en suis certain.

— Il doit sortir de l'une de vos fameuses écoles. Heureusement, en tant qu'étranger, de pareils préjugés ne m'encombrent pas. Et rien ne m'empêche donc de mener mon enquête. Mais j'admets cependant qu'il est difficile de penser que le capitaine Challenger a quelque chose à voir avec cette affaire. D'ailleurs je ne vois pas par quel biais.

Comme je renchérissais avec chaleur, Poirot me regarda d'un air méfiant.

— Vous savez que vous produisez sur moi un effet

extraordinaire, Hastings. Vous avez un tel flair pour vous tromper régulièrement du tout au tout que j'en ai presque envie de soupçonner ce garçon ! Vous faites partie de cette catégorie admirable d'hommes honnêtes, crédules et respectables, qui sont la proie des gredins. Vous seriez du style à investir dans les champs pétrolifères ou dans les mines d'or à sec. Vous et vos semblables faites le pain quotidien des escrocs de tout poil. Parfait, je vais avoir le capitaine à l'œil. Vous avez éveillé mes doutes.

— Poirot, m'écriai-je, très contrarié, ce que vous dites là est absurde. Un homme qui a bourlingué comme moi...

— ...n'apprend jamais, acheva Poirot, fataliste. C'est incroyable mais c'est comme ça.

— Vous croyez que j'aurais aussi bien réussi en Argentine si j'étais le pauvre naïf que vous venez de décrire.

— Ne vous fâchez donc pas, mon bon ami. Vous et votre femme avez parfaitement réussi.

— Bella se rallie toujours à mes opinions, insistai-je.

— Elle est aussi belle que sage, approuva Poirot. Ne nous disputons pas, mon bon ami. Et regardez plutôt devant vous : c'est le garage de Mott. Je crois que c'est celui dont nous a parlé miss Buckley. Une petite enquête nous éclairera vite sur cette histoire de freins.

D'emblée, Poirot expliqua qu'il venait de la part de miss Buckley et qu'il voulait se renseigner sur les conditions de location d'une voiture. Il dévia ensuite très habilement sur les petits problèmes que miss Buckley avait eus récemment avec son propre véhicule.

Le propriétaire du garage devint immédiatement volubile : il n'avait jamais vu une chose pareille. Il avait beau employer des termes techniques qui n'évoquaient rien à Poirot ni à moi, il n'en restait pas moins que la voiture avait bel et bien été sabotée. Entreprise longue et difficile ? Même pas : un petit bricolage rapide, à la portée de tout un chacun, et le tour avait été joué.

— Eh bien voilà, conclut Poirot tandis que nous nous éloignions. La petite Nick avait raison et le richissime Mr Lazarus se trompait. Hastings, mon bon ami, tout cela devient passionnant.

— Où allons-nous à présent ?

— À la poste, envoyer un télégramme avant qu'il ne soit trop tard.

— Un télégramme ? interrogeai-je.

— Parfaitement, confirma Poirot songeur. Un télégramme.

La poste était encore ouverte. Poirot rédigea son télégramme et l'envoya sans daigner m'éclairer sur son contenu. Comme je savais qu'il attendait que je l'interroge, je restai muet.

— C'est bien ennuyeux que demain soit un dimanche, remarqua-t-il sur le chemin de l'hôtel. Nous ne pourrons pas rendre visite à Mr Vyse avant lundi matin.

— Nous pourrions tâcher de découvrir où il habite.

— Certes, mais je n'en ai pas envie. Je préférerais dans un premier temps le consulter sur un plan professionnel afin de pouvoir évaluer ses compétences.

— Vous avez sans doute raison, dis-je après réflexion.

— La réponse à une petite question toute simple pourrait changer beaucoup de choses. Si Mr Charles Vyse était dans son bureau ce matin à midi et demi, alors ça n'est pas lui qui a tiré dans le jardin de l'*Hôtel Majestic*.

— Est-ce que nous ne devrions pas aussi vérifier les alibis des trois amis de Nick qui se trouvent à l'hôtel ?

— Ce sera plus difficile, et beaucoup moins pro-
bant. Ç'aurait été l'enfance de l'art, pour n'importe
lequel d'entre eux, de quitter les deux autres pendant quelques secondes en sortant par l'une de ces
innombrables fenêtres du salon, du fumoir ou du
hall ; il pouvait se cacher à proximité de l'endroit où
elle devait passer, tirer et revenir rapidement. Pour
l'instant mon ami, nous ne sommes même pas sûrs
d'avoir repéré tous les acteurs du drame. Nous
n'avons pas encore vu cette brave Ellen et son mari.
Ces deux-là habitent la Maison du Péril et pour-
raient fort bien nourrir un petit ressentiment à
l'encontre de notre jeune amie. Il y a aussi ces Australiens du pavillon. Et d'autres encore, simples
relations ou amis intimes, que miss Buckley n'a pas
mentionnés, car elle ne voit aucune raison de les
soupçonner. Je ne puis m'empêcher de penser qu'il y
a quelque chose de louche derrière tout cela. J'ai
comme une petite idée que miss Buckley ne nous a
pas tout dit.

— Vous   croyez   qu'elle   nous   cache   quelque
chose ?

— Oui.

— Pour protéger quelqu'un ?

Poirot secoua la tête avec la plus grande énergie.

— Non, non. Elle m'a donné l'impression d'une
totale franchise et je suis convaincu qu'elle nous a
dit tout ce qu'elle savait sur ces attentats dont elle a
été victime. Mais il y a autre chose, qu'elle estime
n'avoir aucun rapport avec cette affaire. Et c'est cela
qui m'intéresse. En toute modestie, je pense être
beaucoup plus intelligent que cette petite, et moi,
Hercule Poirot, je me flatte de pouvoir découvrir un
lien là où elle ne voit rien. Cela me servirait de fil
conducteur. Car je dois vous confesser, Hastings,
très franchement et en toute humilité : je suis dans
le brouillard le plus complet. Tant que je n'aurai pas
mis au jour le mobile qui existe derrière tout cela, je

resterai dans le noir absolu. Il y a forcément quelque chose, un élément dans cette affaire que je ne saisis pas. Mais lequel ? Cette question me taraude.

— Vous finirez bien par le découvrir, dis-je pour l'apaiser.

— Bien entendu, conclut-il d'un air sombre. J'espère seulement qu'il ne sera pas trop tard.

5

LES CROFT

Il y avait bal à l'hôtel ce soir-là. Nick, qui soupait en compagnie de ses amis, nous salua gaiement de la main.

Elle était vêtue d'une longue robe vaporeuse en mousseline qui faisait ressortir la blancheur de son cou et ses épaules tout en mettant en valeur son visage mutin.

— Une bien séduisante diablesse, fis-je observer.

— Quel contraste avec son amie !

Frederica Rice était tout de blanc vêtue. Elle dansait avec une grâce langoureuse, à mille lieues de l'impétuosité de Nick.

— Elle est vraiment très belle, reconnut Poirot.

— Qui donc ? Notre petite Nick ?

— Non, l'autre. Est-elle ange ou démon ? Peut-être est-elle simplement malheureuse ? Qui sait ? Cette femme est un mystère. Elle n'est sans doute rien de tout cela. En tout cas, je peux vous dire que c'est une allumeuse.

— Qu'entendez-vous par là ? demandai-je intrigué.

Il secoua la tête en souriant.

— Vous le découvrirez tôt ou tard. Mais n'oubliez pas ce que je viens de vous dire.

Il se leva tout à coup. Nick dansait avec George Challenger. Frederica et Lazarus étaient retournés à leur table. Et le jeune homme s'était éloigné un instant. Profitant de ce que Mrs Rice se trouvait seule, Poirot se dirigea vers elle, et je lui emboîtai le pas.

Il ne s'embarrassa pas de préliminaires.

— Vous permettez ? demanda-t-il.

Et sans attendre sa réponse, il s'assit en face d'elle.

— J'aimerais beaucoup bavarder avec vous pendant que votre amie danse.

— Oui ? répondit-elle d'une voix lointaine et indifférente.

— Madame, je ne sais pas si votre amie vous a mise au courant, mais aujourd'hui quelqu'un a essayé de la tuer.

Les grands yeux gris, aux pupilles noires et dilatées, s'écarquillèrent. Elle avait l'air aussi étonnée que terrifiée.

— Que voulez-vous dire ?

— Quelqu'un a tiré sur miss Buckley dans le jardin de l'hôtel.

Elle eut soudain un sourire incrédule et, d'une voix douce et pleine de compassion, elle murmura :

— C'est Nick qui vous a raconté ça ?

— Non, madame, je l'ai vu de mes propres yeux. Voici la balle.

Elle eut un mouvement de recul.

— Mais alors...

— Je vous garantis que l'imagination de miss Buckley n'est pas en cause. D'autant que ce n'est pas la première fois : il y a eu d'autres accidents bizarres ces derniers jours. Vous en avez peut-être entendu parler, mais j'oubliais : vous n'êtes arrivée qu'hier...

— Euh... oui, hier.

— On m'a dit que vous étiez chez des amis, du côté de Tavistock.

— C'est exact.

— Puis-je vous demander le nom de vos amis, madame ?

— Ai-je des comptes à vous rendre, monsieur ? demanda-t-elle sèchement non sans cacher son étonnement.

Poirot se confondit immédiatement en excuses.

— Veuillez me pardonner mon impolitesse, madame, je me suis mal exprimé. J'ai moi aussi des amis à Tavistock, et je me demandais si vous les connaissiez : ils s'appellent Buchanan.

Mrs Rice secoua la tête.

— Ce nom ne me dit rien. Je ne pense pas les avoir rencontrés. (Le ton était redevenu cordial.) Mais laissons de côté les gens sans intérêt et parlons plutôt de Nick. Qui lui a tiré dessus, et pourquoi ?

— Je l'ignore, pour le moment. Mais je trouverai. Ça oui ! Je suis détective, vous savez. Je m'appelle Hercule Poirot.

— C'est un nom célèbre.

— Vous êtes trop aimable.

— Qu'attendez-vous de moi ? demanda calmement la jeune femme.

Nous fûmes aussi surpris l'un que l'autre, car nous ne nous attendions pas à cette question.

— Que vous surveilliez votre amie, madame.

— Je le ferai.

Poirot se leva, s'inclina et nous regagnâmes notre table.

— Vous ne pensez pas que vous dévoilez un peu trop vos batteries ?

— Que puis-je faire d'autre, mon bon ami ? Mon jeu manque de nuances, mais cette méthode est sans doute la plus sûre. Il m'est interdit de prendre des risques. Et puis au moins, cette conversation a permis de clarifier un point d'histoire.

— Laquelle ?

— *Mrs Rice n'était pas à Tavistock.* Je ne sais pas d'où elle vient, mais je m'arrangerai pour le savoir.

On ne peut rien cacher à Hercule Poirot. Tiens, le beau Lazarus est de retour. Elle lui raconte tout et il nous observe. Il est loin d'être sot, celui-là. Regardez la forme de son crâne. J'ai hâte de savoir...

— Quoi donc ? le pressai-je en le voyant s'interrompre.

— Nous le saurons lundi.

Devant cette réponse sibylline, je n'insistai pas.

— Vous manquez de curiosité, mon bon ami, soupira Poirot. Autrefois...

— Il y a certains plaisirs dont il est bon que vous soyez privé, répliquai-je froidement.

— Lesquels ?

— Le plaisir que vous prenez à ne pas répondre à mes questions par exemple.

— Ah, c'est malin !

— C'est comme ça !

— Oui, je vois. L'homme fort et taciturne cher à notre littérature romantique.

Une bonne vieille lueur de malice brilla furtivement dans ses yeux.

Quelques instants plus tard, Nick passa près de notre table. Elle abandonna un instant son partenaire et s'approcha, gaie comme un pinson.

— Le chant du cygne, glissa-t-elle désinvolte.

— C'est une sensation nouvelle, chère mademoiselle ?

— Oui, c'est très amusant.

Elle s'éloigna sur une pirouette.

— Elle n'aurait pas dû dire cela, dis-je lentement. Le chant du cygne... ça ne me plaît pas.

— Parce que c'est la vérité. Cette enfant a du cran. Elle est courageuse. Mais ça n'est malheureusement pas ce dont nous avons besoin pour le moment. La prudence serait préférable !

Le lendemain était un dimanche. Nous nous prélassions sur la terrasse de l'hôtel quand vers 11 h 30, Poirot se leva brusquement.

— Venez, mon bon ami. Nous allons tenter une petite expérience. Mr Lazarus et Mrs Rice sont partis en voiture avec Nick. La voie est libre.

— Pour quoi faire ?

— Vous verrez bien.

Coupant à travers la pelouse, nous descendîmes les marches qui menaient à la mer. Nous croisâmes deux baigneurs qui bavardaient en riant.

Quand ils eurent disparu, Poirot se dirigea vers un portillon aux gonds rouillés que je n'avais pas remarqué, et sur lequel on lisait encore, à moitié effacé, « Maison du Péril. Propriété privée ».

Personne ne nous vit passer de l'autre côté et, une minute plus tard, nous arrivions devant la maison. Il n'y avait pas âme qui vive. Poirot marcha tranquillement jusqu'au bord de la falaise pour y jeter un coup d'œil. Puis il revint vers la maison. Nous traversâmes la véranda dont les fenêtres étaient ouvertes et nous arrivâmes dans le salon. Poirot ne s'y attarda pas. Il ouvrit la porte qui donnait sur le hall et monta l'escalier. Je le suivis jusqu'à la chambre de Nick. Il s'assit au bord du lit et me fit un clin d'œil.

— Vous avez vu comme c'était facile ! Personne ne nous a vus entrer et personne ne nous verra sortir. Nous aurions pu faire notre petit travail en toute sécurité. Effilocher par exemple le fil d'un tableau de manière à ce qu'il cède quelques heures plus tard. Même si quelqu'un nous avait vus entrer, nous aurions une excuse toute trouvée, puisque nous sommes des amis de la maison.

— Nous pouvons donc éliminer les étrangers ?

— Précisément, Hastings. Nous n'avons pas affaire à un vagabond à l'esprit dérangé. Le coupable est bien plus proche de nous.

Nous quittâmes la pièce en silence, aussi troublés l'un que l'autre.

Tout à coup, nous dûmes nous arrêter au milieu de l'escalier : un homme montait.

Lui aussi s'arrêta. Son visage était dans l'ombre, mais son attitude trahissait sa stupeur. Il parla le premier, d'une voix forte, intimidante.

— Par tous les diables, pouvez-vous me dire ce que vous faites ici ?

— Ah ! fit Poirot, Mr Croft, je présume ?

— En effet, mais qu'est-ce...

— Allons dans le salon, nous y serons plus à l'aise pour parler.

L'autre accepta et fit demi-tour. Nous le suivîmes jusqu'au salon. Poirot ferma la porte avec précaution, puis s'inclinant :

— Je me présente : Hercule Poirot. Enchanté de faire votre connaissance.

Le visage de son interlocuteur devint plus amène.

— Mais vous êtes ce détective... j'ai lu votre nom quelque part.

— Dans le *St Loo Herald* ?

— Comment ? Non, en Australie. Vous êtes français, je crois ?

— Belge. Ça n'a pas d'importance. Et voici mon ami, le capitaine Hastings.

— Enchanté. Mais que se passe-t-il ? Qu'est-ce que vous faites dans cette maison ? Il y a un problème ?

— Cela dépend de ce que l'on appelle un problème.

L'Australien hocha la tête. Doté d'une carrure impressionnante et d'un visage assez court, un tantinet prognathe, il avait encore de l'allure malgré son âge et sa calvitie. Je le trouvais un peu rustre pour ma part, mais le bleu intense de ses yeux me frappa.

— Vous voyez, commença-t-il, j'étais venu porter à la petite miss Buckley un panier de tomates et un concombre. Son homme à tout faire n'est qu'un bon à rien. Il ne s'occupe pas du tout du potager et baye aux corneilles toute la journée. Ça nous fait enrager, maman et moi ! Alors on se dit que ce sont des relations de bon voisinage de faire ça pour elle. De toute façon, on ne peut pas manger toutes ces tomates à nous deux ! Entre voisins il faut bien s'entraider, pas vrai ? Je suis entré par la porte-fenêtre pour déposer le panier, comme d'habitude. J'allais repartir quand j'ai entendu des pas et des voix d'hommes au premier étage. J'ai trouvé ça bizarre, il n'y a pas beaucoup de voleurs dans le coin, mais après tout, ça pourrait arriver. J'ai pensé qu'il valait mieux que j'aille voir si tout était en ordre. Et puis voilà que je me trouve nez à nez avec vous deux dans l'escalier. Ça m'a fait un drôle de choc ! Maintenant vous me dites que vous êtes détective. Que se passe-t-il donc ?

— Oh ! c'est très simple, sourit Poirot. Miss Nick s'est fait une belle frayeur l'autre nuit. Un tableau s'est décroché au-dessus de son lit. Elle vous l'a peut-être raconté.

— Oui, elle a eu une sacrée veine.

— Pour plus de sécurité, je lui ai promis de lui apporter une chaîne spéciale, parce qu'il ne faudrait pas que cela se reproduise ! Elle sortait ce matin, mais elle m'a dit que je pouvais venir en son absence prendre les mesures. Voilà tout, conclut le petit Belge avec un sourire destiné à convaincre Croft de la simplicité enfantine de son explication.

Celui-ci poussa un soupir de soulagement.

— Vous vous êtes inquiété pour rien, reprit Poirot. Mon ami et moi-même sommes très respectueux des lois.

— Je ne vous ai pas déjà vus, hier après-midi ? Vous êtes passés devant chez nous ?

— Mais si ! Vous étiez en train de travailler dans le jardin et vous nous avez même très aimablement salués.

— Oui, c'est vrai. Bon, bon. Et vous êtes ce M. Hercule Poirot dont j'ai tellement entendu parler.

Vous êtes pressé, monsieur Poirot ? Parce que je vous aurais bien invités à venir prendre une tasse de thé, à la mode australienne, et je vous aurais présentés à ma dame. Elle lit tout ce qui vous concerne dans les journaux.

— C'est très gentil à vous, Mr Croft. Nous n'avons rien de spécial à faire et nous serions ravis.

— Eh bien allons-y.

— Vous avez bien noté les mesures, Hastings ? me demanda Poirot.

Je le rassurai à ce sujet et nous emboîtâmes le pas à notre nouvel ami.

Nous comprîmes très vite que Croft était un bavard invétéré. Il nous parla de sa maison à côté de Melbourne, de sa jeunesse difficile, de la rencontre avec sa femme, de leurs efforts et, pour finir, de la chance qui s'était enfin décidée à leur sourire et de leur réussite.

— Nous avons tout de suite entrepris de voyager, racontait-il, inlassable, nous rêvions depuis toujours de venir en Europe. C'est ce que nous avons fait. Nous avons débarqué ici, à la recherche de la famille de ma femme, ils étaient de la région, vous comprenez. Mais nous n'avons retrouvé personne. Alors nous avons fait l'Europe : Paris, Rome, les lacs italiens, Florence, le grand tour... C'est en Italie que nous avons eu cet accident de train. Ma pauvre femme a été gravement blessée. Comme la vie est cruelle ! Nous avons vu les meilleurs spécialistes et tous disent la même chose : il n'y a que le temps qui puisse y faire, le temps et le repos. La colonne vertébrale a été touchée.

— C'est bien malheureux !

— Oui, c'est vraiment de la malchance. Enfin c'est comme ça et elle, tout ce qu'elle voulait, c'était revenir ici. Elle avait l'impression qu'avec une petite maison à nous — oh, toute petite ! —, tout irait mieux. Nous en avons visité des taudis ! Et puis nous sommes tombés sur celle-ci, toute mignonne, bien calme, loin des bruits de voitures et des voisins bruyants. Nous l'avons prise tout de suite.

Nous étions arrivés. Il lança à pleine voix un « ohé » retentissant auquel un cri similaire répondit en écho.

— Entrez, dit Mr Croft en nous précédant.

Il grimpa quelques marches qui menaient à une pièce accueillante. Une femme d'un certain âge, un peu forte, avec de beaux cheveux argentés et un sourire très doux, était allongée sur un canapé.

— Devine qui je t'amène, maman ? lui dit l'homme. Hercule Poirot le super-détective, connu dans le monde entier. Je l'ai invité pour que vous bavardiez ensemble.

Mrs Croft serra la main de Poirot avec chaleur et s'exclama :

— Je suis si émue que je ne sais quoi dire. J'ai tout lu sur l'affaire du Train Bleu, et sur beaucoup d'autres dans lesquelles vous êtes également intervenu. Depuis mon accident, j'ai dû dévorer tous les romans policiers qui existent. C'est ce qu'il y a de mieux pour passer le temps. Chéri, demande à Édith de préparer du thé.

— Tout de suite, maman.

— Édith, c'est une infirmière, nous expliqua Mrs Croft. Elle vient m'aider à m'habiller tous les matins. Mais nous n'avons pas de domestiques, Bert n'a pas son pareil pour faire la cuisine et s'occuper du ménage, et puis entre ça et le jardin, il ne s'ennuie pas.

— Voilà le thé, annonça Mr Croft en apportant un plateau. Aujourd'hui est un grand jour pour nous, maman.

— Vous êtes ici pour un petit moment ? interrogea Mrs Croft en se penchant pour prendre la théière.

— Oui, madame, je suis en vacances.

— Mais oui, bien sûr, j'ai lu dans le journal que vous aviez décidé de prendre votre retraite pour vous octroyer un repos bien mérité !

— Ah ! madame, il ne faut pas croire tout ce que disent les journaux.

— Vous avez bien raison. Mais alors, cela veut-il dire que vous êtes toujours en activité ?

— Quand une affaire m'intéresse, oui.

— Mais vous n'êtes pas venu ici pour cela ? demanda Mr Croft d'un air intéressé. Ces vacances ne seraient alors qu'un prétexte...

— Bert, ne pose pas de questions indiscrètes ou Mr Poirot ne voudra plus revenir chez nous, le gronda gentiment sa femme. Nous sommes des gens simples, monsieur Poirot, et c'est un grand honneur que vous nous faites de venir chez nous, vous et votre ami. Vous ne pouvez pas imaginer le plaisir que cela représente pour nous.

Ses remerciements dénotaient une franchise et une simplicité telles que mon cœur fondait d'attendrissement.

— Cette histoire de tableau est bien regrettable, dit Mr Croft.

— La pauvre fille aurait pu être tuée, s'écria Mrs Croft d'un air navré. C'est du vif-argent, cette enfant. Elle redonne vie à la maison dès qu'elle arrive. Pourtant on ne l'apprécie guère, dans les parages, d'après ce que je me suis laissé dire. Mais dans ces trous perdus de la campagne, les gens n'aiment pas qu'une jeune fille soit gaie et vivante. Ça ne m'étonne pas qu'elle ne vienne pas souvent, et son cousin au grand nez aura du mal à la persuader de s'installer ici pour de bon, ça je vous le dis...

— Allons, Milly, pas de cancans...

— Tiens donc ! fit Poirot intéressé. On dirait qu'il y a anguille sous roche, si j'en crois le flair de Madame ! Ainsi Mr Charles Vyse serait amoureux de notre petite amie ?

— Dites plutôt qu'il en est fou, répliqua Mrs Croft. Mais elle n'épousera jamais un avocat de province et je la comprends. Celui-là a avalé son parapluie. Non, j'aimerais bien qu'elle se marie avec ce gentil marin, comment s'appelle-t-il déjà ? Challenger. Elle pourrait faire pire vous savez, d'accord il est plus âgé qu'elle, mais après tout ? Elle a besoin de se fixer, voilà mon avis. Elle est toujours par monts et par vaux, elle se balade même à l'étranger, toute seule ou alors avec cette drôle de Mrs Rice. C'est une gentille fille, monsieur Poirot, ça je le sais bien, mais je m'inquiète pour elle, elle n'a pas l'air heureuse en ce moment. Je la trouve même préoccupée et je me fais du souci ! Et j'ai de bonnes raisons pour m'intéresser à cette jeune fille, n'est-ce pas, Bert ?

Mr Croft se leva brusquement de sa chaise.

— Ne commençons pas, Milly. (Et se tournant vers Poirot :) Ça vous dirait, monsieur Poirot, de regarder quelques photos d'Australie ?

Notre visite s'acheva sur des banalités. Dix minutes plus tard, nous partions.

— Ils sont gentils, commentai-je, ce sont vraiment les Australiens typiques, simples et sans prétentions.

— Vous les avez trouvés sympathiques ?

— Pas vous ?

— Ils sont charmants... très accueillants.

— Eh bien alors ? Vous, vous me cachez quelque chose...

— Ils sont peut-être un tout petit peu trop « typiquement australiens », objecta Poirot, songeur. Leur accent, cette insistance à nous montrer des photos de là-bas. Vous ne trouvez pas qu'ils jouaient leur rôle de façon un peu trop appliquée ?

— Vous êtes vraiment aussi méfiant qu'un vieux paysan !

— Vous avez raison, mon bon ami. J'en viens à me méfier de tout et de tous. J'ai peur, Hastings, j'ai très peur.

6

LA VISITE À CHARLES VYSE

Poirot restait un fidèle adepte du petit déjeuner continental. Il supportait très mal de me voir prendre des œufs au bacon le matin. Aussi se faisait-il servir au lit une tasse de café et des brioches, tandis que je débutais tranquillement la journée par les œufs au bacon et la marmelade, obligatoires au menu du petit déjeuner de tout Anglais qui se respecte. Ce lundi-là, je passai devant sa chambre en descendant les escaliers. Il était assis dans son lit, drapé dans une somptueuse robe de chambre.

— Bonjour, Hastings. J'étais sur le point de sonner. Pourriez-vous avoir la gentillesse de faire porter le petit mot que je viens d'écrire à la Maison du Péril, à l'intention de miss Buckley. C'est urgent. (Puis d'un air navré :) Hastings ! Cette raie sur le côté est affreuse ! Si seulement vous vouliez bien vous faire la raie au milieu ! Vous n'imaginez pas comme cette symétrie améliorerait votre aspect. Quant à votre moustache, si cela vous est absolument indispensable, arrangez-vous pour qu'elle ressemble à quelque chose ! Comme la mienne !

Je réprimai un frisson à la pensée d'avoir une moustache comme celle de Poirot et, m'emparant de son message, je quittai la pièce.

Nous étions tous les deux installés dans notre salon quand on annonça miss Buckley. Poirot demanda qu'on la fasse entrer. Elle était d'humeur plutôt joyeuse, mais ses cernes s'étaient accentués. Elle tendit à Poirot un télégramme.

— Tenez, j'ai pensé que cela vous ferait plaisir.

— « Arrive aujourd'hui à 17 h 30. Maggie », lut Poirot à voix haute.

— Mon infirmière et mon ange gardien ! ironisa Nick. Mais je ne crois pas que vous ayez fait un très bon choix. Maggie n'est pas très futée. Elle est consciencieuse, c'est tout. Une autre de ses particularités, c'est qu'elle n'a aucun sens de l'humour. Freddie serait mille fois plus douée qu'elle pour dénicher un assassin. Et Jim Lazarus serait encore mieux. Je n'ai jamais rencontré quelqu'un qui arrive à la cheville de ce garçon.

— Et le capitaine Challenger ?

— George ! Il ne voit rien tant que ça n'est pas sous son nez. Par contre, ensuite... il ne lâche pas le morceau. Il est très pratique dans les grands moments, George. (Elle ôta son chapeau et poursuivit :) J'ai obéi à votre petit mot et j'ai laissé ce monsieur entrer dans la maison. Tout cela semblait bien mystérieux. Est-ce qu'il était là pour installer un dictaphone ou un truc de ce genre ?

— Non, rien d'aussi scientifique. Je voulais simplement avoir son avis sur un détail.

— Ah ! fit Nick, tout cela est très amusant.

— Vraiment ? demanda Poirot doucement.

Elle nous tourna le dos quelques instants, affectant de regarder par la fenêtre. Quand elle pivota sur ses talons, elle avait complètement perdu son expression provocante et courageuse. Elle ressemblait à un enfant désespéré qui fait tout ce qu'il peut pour retenir ses larmes...

— Non, avoua-t-elle, pas du tout. J'ai peur... je suis terrifiée. Moi qui me croyais si brave.

— Mais vous l'êtes, mon enfant. Hastings tout comme moi admirons votre courage depuis le début.

— C'est vrai, appuyai-je avec chaleur.

— Mais non, dit Nick en secouant la tête. Je ne suis pas brave du tout. C'est tellement minant d'attendre, de se demander sans cesse s'il va encore se passer quelque chose, et quoi ? Et puis la certitude que cela va arriver.

— Oui, c'est une tension de tous les instants.

— La nuit dernière, j'ai tiré mon lit au milieu de la chambre. J'ai fermé la fenêtre et verrouillé la porte. Et ce matin, je suis passée par la route. Je n'ai pas... je n'ai pu me résoudre à prendre le raccourci par le jardin. Mes nerfs sont en train de craquer. Et cette tension vient s'ajouter au reste...

— Ce « reste », de quoi s'agit-il au juste ?

Elle resta silencieuse un instant, puis :

— Rien de particulier. Sans doute ce que les journaux appellent « le stress de la vie moderne ». Trop de cocktails, de cigarettes et tout ce qui s'ensuit. Je me sens dans un état lamentable, c'est ridicule...

Elle s'était effondrée dans un fauteuil, et restait assise là, croisant et décroisant les doigts avec nervosité.

— Vous ne me dites pas toute la vérité, chère petite.

— Si, je vous assure.

— Vous me cachez quelque chose.

— Je vous ai tout dit.

Sa voix était vibrante de sincérité.

— Au sujet des accidents et des attaques dont vous avez fait l'objet, oui.

— Eh bien alors ?

— Vous ne m'avez pas confié ce qu'il y a dans votre cœur, dans votre vie...

Lentement elle répondit :

— Croyez-vous que ce soit possible ?

— Vous voyez, triompha Poirot. Vous l'admettez !

Elle acquiesça. Il ne la quittait pas des yeux et suggéra finement :

— Peut-être n'est-ce pas *votre* secret ?

Je crus voir ciller ses paupières, mais elle sauta immédiatement sur ses pieds.

— Très franchement, je vous ai dit tout ce que je savais sur cette stupide affaire. Si vous pensez que j'en sais plus sur quelqu'un ou que je nourris des soupçons sur Dieu sait qui, vous vous trompez. Je ne sais rien ! Je ne soupçonne personne ! Et c'est ce qui me rend folle. Je ne suis pas idiote. Si ces prétendus accidents n'en sont pas, ils ont été manigancés par quelqu'un de très proche, quelqu'un qui... qui me connaît. Et ça, c'est terrible. Car je n'ai pas la moindre idée de qui cela peut être.

Elle s'éloigna à nouveau vers la fenêtre et regarda au-dehors.

Poirot me fit signe de me taire. Il espérait qu'elle ferait de nouvelles révélations maintenant qu'elle avait commencé à perdre son sang-froid.

Quand elle reprit la parole, le timbre de sa voix était différent, lointain et rêveur.

— Savez-vous quel a toujours été mon rêve le plus cher ? J'adore ma maison et j'aurais voulu y monter une pièce de théâtre. Je trouve qu'il y règne une atmosphère dramatique. J'ai échafaudé mille scénarios dans ma tête et voilà maintenant qu'un véritable drame semble s'y dérouler. Avec une seule différence : je n'en suis pas l'auteur, je... je joue le rôle principal ! C'est peut-être moi qui dois... qui dois mourir à la fin du premier acte !

Sa voix se brisa.

— Allons, allons, chère petite mademoiselle, protesta Poirot sur un ton résolument vif et enjoué. Reprenez-vous ! Sinon vous allez nous faire une petite crise d'hystérie.

Elle lui jeta un regard inquisiteur.

— C'est Freddie qui vous a dit que j'étais hystérique ? Elle prétend que ça m'arrive parfois, continuat-elle. Mais il ne faut pas toujours croire ce qu'elle raconte. Il lui arrive de ne pas être... dans son état normal.

Il y eut un silence. Puis Poirot sauta du coq à l'âne :

— Dites-moi, ma chère petite mademoiselle, vous a-t-on déjà offert d'acheter votre maison ?

— Non.

— Envisageriez-vous de la vendre si on vous faisait une proposition intéressante ?

Nick réfléchit un moment.

— Non, je ne crois pas. Sauf peut-être si c'était l'offre du siècle — ce dont je doute — et alors ce serait fou de refuser.

— Précisément.

— Voyez-vous, je n'ai pas envie de la vendre. J'y suis très attachée.

— Je vous comprends tout à fait.

Nick se dirigea lentement vers la porte.

— À propos, il y a un feu d'artifice ce soir. Voulez-vous venir ? Nous dînerons à 8 heures. Le feu d'artifice commence à 9 h 30. Le jardin surplombe la baie et nous serons aux premières loges.

— J'accepte avec plaisir.

— Vous êtes invités tous les deux, bien sûr, ajouta Nick.

Je la remerciai.

— Il n'y a rien de tel qu'une soirée pour remonter un moral déprimé, fit-elle remarquer avec un petit rire en nous quittant.

— Pauvre enfant, soupira Poirot.

Il épousseta avec un soin maniaque une poussière microscopique sur son chapeau.

— Nous sortons ? demandai-je.

— Mais oui, nous devons nous occuper d'un petit problème juridique, mon bon ami.

— Ah oui ! j'ai compris.

— C'est bien ce que j'espérais d'une intelligence aussi brillante que la vôtre, Hastings.

Les bureaux de Messrs Vyse, Trevannion & Wynnard se trouvaient dans la rue principale. Nous montâmes au premier étage. Dans une pièce, trois clercs paraissaient fort affairés. Poirot demanda à voir Charles Vyse.

L'un des clercs murmura quelques mots au téléphone et nous invita à le suivre. Il frappa à une porte, puis s'effaça pour nous laisser entrer.

Charles Vyse, assis derrière un vaste bureau recouvert de papiers, se leva pour nous accueillir.

C'était un grand jeune homme pâle, au visage dénué d'expression. Ses tempes commençaient à se dégarnir et il portait des lunettes. Il n'y avait rien dans sa physionomie qui retînt l'attention.

Poirot avait préparé sa visite : il était sur le point de signer un contrat qu'il avait apporté avec lui, et il avait auparavant besoin des conseils de Mr Vyse sur certains détails techniques.

Dans un style clair et concis, Mr Vyse ne tarda pas à éliminer les prétendus doutes de Poirot et élucida les derniers points obscurs du contrat.

— Je vous suis infiniment reconnaissant, murmura mon ami, je suis étranger, savez-vous, et j'ai parfois du mal à comprendre les subtilités de votre jargon juridique.

C'est alors que Mr Vyse lui demanda qui l'avait envoyé chez lui.

— Miss Buckley, répondit Poirot avec empressement. C'est votre cousine, je crois ? Une jeune fille charmante. J'ai fait état de ma perplexité en sa présence et elle m'a conseillé de venir vous consulter. J'ai essayé de vous voir samedi matin, vers midi et demi, mais vous étiez sorti.

— C'est exact. Je suis parti de bonne heure samedi.

— Votre jeune cousine doit trouver cette grande maison bien vide. Elle y vit seule, d'après ce que j'ai compris.

— Oui.

— Dites-moi, Mr Vyse, y aurait-il une chance pour que cette propriété soit mise en vente un jour ?

— Pas la moindre, si vous voulez mon avis.

— Je ne pose pas cette question en l'air. Je suis sérieux ! Je recherche une propriété de ce style. Le climat de St Loo me convient à ravir. Certes, la maison est en mauvais état et j'ai l'impression qu'il y aurait beaucoup de travaux à faire. Dans ces conditions, vous ne croyez pas qu'une offre d'achat pourrait intéresser votre jeune cousine ?

— Vous n'avez pas l'ombre d'une chance, répéta Charles Vyse en appuyant sa réponse d'un mouvement de tête énergique. Ma cousine a une véritable adoration pour cette propriété et rien ne pourrait l'amener à la vendre, je vous l'affirme. C'est une maison de famille, comprenez-vous.

— J'entends bien, mais...

— C'est absolument hors de question. Je connais ma cousine et je sais qu'elle est fanatiquement attachée à sa maison.

Quelques minutes plus tard, comme nous marchions dans la rue, Poirot me demanda :

— Alors, quelle impression vous a faite ce Mr Charles Vyse ?

— Très négative, d'une manière générale.

— Il manque de personnalité, selon vous ?

— Oui. C'est le genre d'individu dont on ne se souvient pas. Il est sans intérêt.

— Certes, il n'a rien d'extraordinaire. Avez-vous remarqué une fausse note pendant notre discussion ?

— Oui, dis-je lentement, quand vous avez parlé d'acheter la propriété.

— Tout à fait. Qualifieriez-vous de fanatique

l'attachement de notre jeune demoiselle à la Maison du Péril ?

— C'est un peu exagéré.

— Pourtant l'exagération ne semble pas être le fort de Mr Vyse. De par sa profession, il devrait avoir plutôt tendance à minimiser les faits, n'est-ce pas ? Il affirme pourtant que miss Buckley est fanatiquement attachée au berceau de sa famille.

— Ce n'est pas l'impression qu'elle m'a donnée ce matin. J'ai trouvé qu'elle faisait preuve de beaucoup de bon sens. Bien sûr, elle aime cette maison, ce qui est tout à fait logique, mais sans plus.

— Alors l'un des deux ment, conclut Poirot, songeur.

— Charles Vyse n'a pas du tout la tête d'un menteur.

— C'est un bon atout si l'on est obligé de mentir, fit remarquer Poirot. On lui donnerait le Bon Dieu sans confession. Vous n'avez rien relevé d'autre, Hastings ?

— Quoi donc ?

— Il n'était pas dans son bureau samedi à midi et demi.

7
TRAGÉDIE

Nick fut la première personne que nous aperçûmes, en arrivant à la Maison du Péril ce soir-là. Elle dansait dans le hall, enveloppée dans un superbe kimono brodé de dragons.

— Oh zut, alors ! Ce n'est que vous !

— Je suis désolé de vous décevoir, ma chère mademoiselle !

— Je suis bien mal élevée, mais j'attends ma robe. Ces monstres m'avaient juré qu'elle serait prête à temps !

— Ouf ! si votre déception n'est qu'affaire de fanfreluches, je me sens hors de cause ! Il y aura donc bal, ce soir ?

— Oui. Après le feu d'artifice. Enfin, c'est ce que nous avons prévu.

Sa voix se fêla, mais la minute d'après elle éclatait de rire.

— Tenir bon ! Telle est ma devise. Conjurons le sort ! J'ai retrouvé le moral, ce soir. Et j'ai décidé d'être gaie comme un pinson et de bien m'amuser.

On entendit un bruit de pas dans l'escalier. Nick se retourna.

— Je vous présente ma cousine. Maggie, voici les fins limiers qui me protègent du mystérieux assassin. Accompagne-les au salon, ils t'expliqueront tout.

Chacun à notre tour, nous échangeâmes une poignée de main avec Maggie Buckley. Puis, comme prévu, elle nous escorta au salon. Tout de suite elle me fit une impression favorable, probablement à cause de son air de solide bon sens. C'était une jeune fille du genre calme et placide, beauté d'hier plutôt que d'aujourd'hui et qui se souciait peu de coquetterie. Pas du tout maquillée, elle portait une robe noire, toute simple, et qui avait connu des jours meilleurs. Elle nous dévisagea de son regard direct et, d'une voix bien timbrée, entra tout de suite dans le vif du sujet :

— Nick m'a raconté une histoire incroyable. Elle doit exagérer. Qui pourrait lui vouloir du mal ? Je suis sûre qu'elle n'a pas un seul ennemi sur terre.

L'incrédulité perçait dans sa voix et elle toisait Poirot sans la moindre bienveillance. Manifestement, Maggie Buckley était de ceux pour qui tout étranger est a priori suspect...

— Pourtant, miss Buckley, je vous assure que c'est la stricte vérité, répondit calmement Poirot.

Elle n'ajouta rien, mais elle semblait sceptique.

— Nick est bizarre ce soir, remarqua-t-elle, je ne sais pas ce qui lui prend, mais elle est déchaînée.

Je fus parcouru d'un frisson. Une particularité dans son accent m'intriguait :

— Vous êtes écossaise, miss Buckley ? lui demandai-je tout à trac.

— Ma mère l'était, expliqua-t-elle.

Comme elle semblait m'accorder plus de confiance qu'à Poirot, je crus bon de lui expliquer les faits.

— ... Votre cousine fait preuve de beaucoup de courage, et elle a décidé de se comporter comme si de rien n'était, achevai-je.

— Que pourrait-elle faire d'autre ? constata Mag-

gie. Quels que soient nos états d'âme, à quoi bon les
monter en épingle ? Ça ne peut qu'importuner
autrui. (Puis elle ajouta d'une voix douce :) J'aime
beaucoup Nick. Elle a toujours été très bonne avec
moi.

Nous fûmes interrompus par l'arrivée de Freddie
Rice. Vêtue d'une robe d'un bleu céleste, elle semblait plus fragile et plus éthérée que jamais. Lazarus
nous rejoignit bientôt, puis Nick entra dans la pièce
en dansant. Elle portait, drapé sur une robe noire,
un somptueux châle en cachemire d'un rouge profond.

— Bonsoir, tout le monde ! Qui veut un cocktail ?

Nous trinquâmes et Lazarus leva son verre.

— Ce châle est une merveille, Nick. Il doit être
très ancien.

— Oui, c'est mon arrière-arrière-grand-oncle
Timothée qui l'a rapporté de l'un de ses voyages.

— Il est superbe, vraiment magnifique. Je n'en ai
jamais vu d'aussi beau.

— Il est très chaud, ajouta Nick, et ce sera idéal
pour regarder le feu d'artifice. En plus il est gai. Je...
j'ai horreur du noir.

— C'est vrai, remarqua Frederica, je crois que
c'est la première fois que je te vois porter une robe
noire, Nick. Comment cela se fait-il ?

— Bah ! A-t-on toujours besoin d'une raison ?

La jeune fille s'envola sur une pirouette, mais je
crus discerner un petit rictus de souffrance sur ses
lèvres.

Nous passâmes à table. Un serveur silencieux,
engagé sans doute pour la soirée, passait les plats. Si
le repas n'avait rien d'extraordinaire, le champagne
en revanche était bon.

— George a été retardé, nous prévint Nick. C'est
idiot qu'il lui ait fallu retourner à Plymouth hier soir.
Mais il montrera le bout de son nez à un moment
quelconque de la soirée. J'espère qu'il arrivera à

temps pour le bal. J'ai trouvé un cavalier pour Maggie. Présentable, sinon passionnant.

Le bruit d'un moteur se fit entendre par la fenêtre.

— Ces hors-bord sont horripilants, dit Lazarus, je commence à en avoir assez.

— Ce n'est pas un bateau, c'est un avion, corrigea Nick.

— Oui, vous avez peut-être raison.

— Bien sûr que j'ai raison ! le bruit n'a rien à voir.

— Nick, quand vas-tu acheter ton Moth ?

— Dès que j'aurai assez d'argent, plaisanta-t-elle.

— Ensuite tu iras en Australie, comme cette bonne femme... comment s'appelle-t-elle, au fait ?

— J'adorerais ça.

— J'ai beaucoup d'admiration pour elle, dit Mrs Rice de sa voix désabusée. Quel cran ! Et toute seule !

— J'admire tous ces as de l'aviation, renchérit Lazarus. Si Michael Seton avait réussi à boucler son tour du monde, il aurait été considéré comme un héros — et à juste titre. Cet accident, quelle tragédie ! Et pour l'Angleterre, c'est une perte irréparable.

— Il est peut-être encore en vie, suggéra Nick.

— Ça m'étonnerait. Les parieurs le donnent mort à mille contre un. Pauvre Seton l'Excentrique !

— On l'a toujours appelé Seton l'Excentrique ? demanda Frederica.

— Oui, dit Lazarus. Il est issu d'une famille de cinglés. Son oncle, le vieux Mathew Seton, qui est mort la semaine dernière, était fou à lier.

— Vous parlez du milliardaire qui n'avait qu'une marotte dans l'existence : s'occuper de réserves d'oiseaux ?

— Oui. Il achetait des îles en pagaille. C'était un misogyne convaincu. À mon avis, il a dû se faire plaquer jadis par une bonne femme et depuis, il s'est consolé en se passionnant pour l'histoire naturelle.

— Pourquoi dites-vous que Michael Seton est

mort ? insista Nick. Il n'y a aucune raison de déses-
pérer pour le moment.

— C'est vrai, j'avais oublié que tu le connaissais,
dit Lazarus.

— Nous l'avons rencontré l'an dernier au Touquet
avec Freddie, continua Nick. Un homme charmant,
n'est-ce pas, Freddie ?

— Il n'y a que toi qui puisses répondre, ma chérie.
C'était ta conquête, pas la mienne. D'ailleurs il t'a
fait faire un tour dans son avion, non ?

— Oui, à Scarborough. C'était merveilleux.

— Vous avez déjà volé, capitaine Hastings ? me
demanda Maggie pour dire quelque chose.

Je dus lui avouer que ma seule expérience dans ce
domaine se résumait à un aller et retour à Paris.

Tout à coup, Nick bondit de sa chaise :

— Le téléphone ! Ne vous occupez pas de moi, il
se fait tard et j'ai invité beaucoup de monde.

Elle quitta la pièce. Jetant un coup d'œil à ma
montre, je vis qu'il était juste 9 heures. On apporta
le dessert, puis l'on servit le porto. Poirot et Lazarus
parlaient art. Lazarus expliquait à mon ami que le
marché des tableaux était en pleine expansion. Puis
leur discussion embraya sur les nouvelles tendances
en matière de mobilier et de décoration.

Je m'acquittais de mon devoir en bavardant avec
Maggie Buckley, mais il fallait bien reconnaître que
cette fille manquait de repartie. Elle répondait aimablement, mais sans relancer la conversation. C'était
assez fastidieux.

Frederica Rice ne disait pas un mot et rêvait, les
coudes posés sur la table, la fumée de sa cigarette
tournoyant autour de sa tête blonde. Elle ressemblait à un ange en méditation.

Il était 9 h 20 quand le visage de Nick apparut
dans l'embrasure de la porte :

— Dépêchez-vous, tout le monde ! Les invités
arrivent en rangs serrés.

Nous obéîmes tous. Nick s'affairait au milieu des nouveaux arrivants. Elle avait convié une douzaine de personnes qui n'avaient rien de passionnant pour la plupart. Nick était une excellente hôtesse qui, oubliant ses théories modernistes, accueillait chacun suivant les règles traditionnelles de la bienséance. Parmi les hôtes, je reconnus Charles Vyse.

Quand tout le monde fut arrivé, nous nous rassemblâmes dans le jardin sur une esplanade qui dominait la baie. Des chaises avaient été disposées pour les plus âgés, mais nous restâmes presque tous debout. La première fusée s'élança dans le ciel.

C'est alors que je reconnus une voix forte et familière, celle de Mr Croft.

— Quel dommage que Mrs Croft n'ait pu se joindre à nous, disait Nick. Nous aurions dû la porter jusqu'ici sur un brancard.

— Oui, pauvre maman ! Mais elle ne se plaint jamais, c'est vraiment la crème des femmes, ah ! elle a un caractère d'ange... Oh, regardez !

Une pluie d'or retombait du ciel. Il faisait nuit noire, la nouvelle lune ne devait apparaître que trois jours plus tard. Comme souvent en ces soirées d'été, la température était plutôt fraîche. À côté de moi, Maggie Buckley frissonnait.

— Je cours chercher un manteau, me chuchotat-elle.

— Permettez-moi d'y aller à votre place.

— Non, vous ne le trouveriez pas.

Comme elle se dirigeait vers la maison, on entendit la voix de Frederica Rice :

— Oh, Maggie, pouvez-vous aussi prendre le mien ? Il est dans ma chambre.

— Elle n'a pas entendu, dit Nick. J'y cours, Freddie. Je vais mettre ma fourrure, ce châle n'est pas assez chaud. Le vent est plutôt frisquet.

Une petite brise aigre montait en effet de la mer. En bas, sur un des quais du port, girandoles et serpenteaux crépitaient à qui mieux mieux. J'avais engagé la conversation avec ma voisine, une dame âgée qui me soumettait à un interrogatoire serré sur ma vie, ma carrière, mes goûts et la durée de mon séjour ici.

Pan ! une constellation d'étoiles vertes emplit le firmament. Elles devinrent bleues, puis rouges et enfin argent. D'autres suivirent.

— On n'entend que des oh ! et des ah ! grommela Poirot qui avait surgi près de moi. Ça devient monotone, à la fin ! Brrr ! l'herbe est trempée. Et je vais attraper un refroidissement. Avec ça, je ne vois pas où on pourrait bien se faire servir une tisane convenable !

— Un refroidissement ? Par une belle nuit comme celle-ci !

— Une belle nuit ! En bon Anglais, vous dites ça parce que, pour une fois, la pluie ne tombe pas à verse ! Pour vous, dès qu'il ne pleut pas, cela devient une belle nuit ! Mon bon ami, si j'avais un thermomètre sous la main, vous verriez !

— C'est vrai que je mettrais bien un manteau, dus-je reconnaître.

— Ça me paraîtrait raisonnable. Après tout, vous débarquez des pays chauds.

— Je vous apporte le vôtre.

Comme un gros chat, Poirot souleva un pied, puis l'autre.

— Ce que je crains, ce sont les pieds mouillés. Croyez-vous que vous pourriez mettre la main sur une paire de caoutchoucs ?

Je réprimai un sourire.

— Cela m'étonnerait. Vous savez, Poirot, ça ne se fait plus du tout, les caoutchoucs.

— Alors je vais aller m'asseoir à l'intérieur, décida-t-il. Je ne vais quand même pas m'enrhumer — et même, qui sait, attraper une fluxion de poitrine — pour un simple feu d'artifice !

Il continua à grommeler, indigné, et nous retournâmes vers la maison. Du quai, des applaudissements frénétiques montaient vers nous tandis qu'une pièce d'artifice particulièrement élaborée — un bateau levant l'ancre et portant une grande banderole : « Bienvenue à nos visiteurs » — était tirée.

— Nous sommes tous restés des enfants, commenta Poirot. Nous aimons les feux d'artifice, les fêtes, les jeux de ballon, et les prestidigitateurs qui trompent même les plus avertis... Mais... mais qu'avez-vous, mon bon ami ?

D'une main, j'avais empoigné son bras que je serrais de toutes mes forces tandis que de l'autre, je lui montrais quelque chose.

À cent mètres de la maison, juste en face de nous, devant la porte-fenêtre ouverte, gisait une forme recroquevillée, enveloppée dans un châle écarlate...

— Mon Dieu ! murmura Poirot d'une voix étranglée. Mon Dieu...

8

LE CHÂLE FATAL

Pendant trente secondes qui semblèrent durer une éternité, nous restâmes immobiles, incapables de réagir, pétrifiés d'horreur. Puis Poirot repoussa ma main d'une secousse et s'avança d'un pas raide comme celui d'un automate.

— C'est quand même arrivé, murmura-t-il — et sa voix était pleine d'une amertume et d'une angoisse impossibles à rendre. Malgré toutes mes précautions, c'est quand même arrivé ! Je suis un misérable criminel ! Que ne l'ai-je mieux surveillée ! J'aurais dû le prévoir. Ne pas la quitter d'une semelle.

— Ça n'est pas votre faute, bredouillai-je.

J'étais si ému que ma langue refusait de m'obéir et que j'avais du mal à articuler.

Lugubre, Poirot se contenta de secouer la tête en s'agenouillant près du corps.

Ce fut alors que survint le second choc de la soirée. La voix claire et enjouée de Nick se fit entendre et sa silhouette se profila dans l'embrasure de la fenêtre illuminée.

— Désolée de t'avoir fait attendre, Maggie, mais j'ai...

Elle s'interrompit net devant le spectacle que nous offrions.

Avec un juron, Poirot retourna le corps étendu face contre terre et je me jetai à genoux pour mieux voir.

Je reconnus alors le visage inanimé de Maggie Buckley.

En une seconde Nick nous avait rejoints. Elle poussa un cri strident :

— Maggie ! Oh, Maggie, Maggie... ce n'est pas possible...

Poirot continua d'examiner le cadavre de la jeune fille. Puis, très lentement, il se releva.

— Elle n'est pas... ? Dites-moi qu'elle n'est pas..., balbutia Nick dont la voix se brisa.

— Si, mademoiselle. Elle est morte.

— Mais pourquoi ? Pourquoi ? Qui aurait pu vouloir la tuer, elle ?

Ce fut sans l'ombre d'une hésitation que Poirot répondit.

— Ce n'était pas elle qui était visée, ma chère petite. C'était vous ! Le châle les a trompés.

Nick laissa échapper un sanglot désespéré.

— Pourquoi est-ce que ça n'a pas été moi ? Pourquoi est-ce que ça n'a pas été moi ? Ç'aurait été tellement mieux... tellement plus simple. Je ne veux pas vivre... plus comme ça... plus maintenant. Je serais si heureuse... oh oui ! si heureuse d'en finir et de mourir... mourir... mourir !

Égarée, elle battit l'air de ses mains et tituba. Je passai un bras autour de ses épaules pour l'empêcher de tomber.

— Emmenez-la à l'intérieur, Hastings, ordonna Poirot, et prévenez la police.

— La police ?

— Évidemment ! Dites-leur qu'un coup de feu a été tiré, que quelqu'un a été assassiné. Ensuite, restez avec miss Nick. *Ne la quittez sous aucun prétexte.*

J'acquiesçai et, soutenant la jeune fille à moitié évanouie, je franchis la porte-fenêtre du salon. Je l'installai sur le sofa, un coussin sous la tête, puis je me précipitai dans le vestibule à la recherche du téléphone.

J'évitai de justesse Ellen qui passait par là. Sur son visage humble et honnête se lisait une expression étrange. Ses yeux brillaient et elle ne cessait de passer sa langue sur ses lèvres trop sèches. Ses mains tremblaient, comme si elle avait du mal à cacher son agitation. Dès qu'elle me vit, elle me demanda :

— Il s'est passé quelque chose, monsieur ?

— Oui, répondis-je brièvement, où est le téléphone ?

— Mais ça... ça n'est rien de grave, monsieur ?

— Un accident, dis-je d'un ton évasif, quelqu'un est blessé. Il faut que je passe un coup de fil.

— Qui a été blessé, monsieur ?

Elle attendait ma réponse avec une impatience non déguisée.

— Miss Buckley, miss Maggie Buckley.

— Miss Maggie ? Miss *Maggie* ? Vous en êtes sûr, monsieur ? Je veux dire... Vous êtes certain qu'il s'agit de miss Maggie Buckley ?

— Sûr et certain, répondis-je. Pourquoi ?

— Oh, pour rien ! Je... je pensais qu'il s'agissait peut-être d'une des autres dames. Je pensais que ça pouvait être... Mrs Rice.

— Écoutez, est-ce que vous allez me dire où se trouve le téléphone ?

— Dans cette petite pièce.

Elle ouvrit la porte et me montra l'appareil.

— Merci. (Voyant qu'elle s'attardait, je répétai :) Merci. Vous pouvez disposer.

— Voulez-vous que le Dr Graham...

— Non, non. C'est tout. Laissez-moi, je vous prie.

Elle se retira de mauvaise grâce et aussi lentement que possible. J'étais sûr qu'elle allait écouter à la porte, mais comment faire pour l'en empêcher ?

Bah ! de toute façon, elle apprendrait vite ce qui s'était passé.

J'appelai le poste de police et les mis au courant des événements. Puis je pris sur moi de téléphoner au Dr Graham, celui-là même dont avait parlé Ellen. Je trouvai son numéro dans l'annuaire. Il pourrait au moins s'occuper de Nick, car, pour la pauvre gosse qui gisait dehors, un médecin ne pouvait plus être d'aucune utilité. Il me promit d'arriver tout de suite, je raccrochai et retournai dans le hall.

Si Ellen avait écouté à la porte, elle avait réussi à s'éclipser, car je ne vis personne. Lorsque je retournai dans le salon, Nick tentait de se lever.

— Pourriez-vous me donner un cognac ?

— Bien sûr.

Je me précipitai dans la salle à manger et revins très vite. L'alcool ranima la jeune fille et ses joues reprirent quelques couleurs. J'arrangeai le coussin sous sa tête.

— C'est... c'est terrible, frissonna-t-elle. Tout... partout...

— Je sais, mon petit. Je sais...

— Mais non, vous ne savez pas. Comment sauriez-vous ? Quel gâchis ! Si seulement c'était moi ! J'en aurais fini...

— Ne dites pas des choses aussi atroces, la grondai-je gentiment.

Mais elle continuait de secouer la tête en répétant :

— Vous ne savez pas ! Vous ne pouvez pas comprendre !

Puis elle se mit à pleurer, des sanglots d'enfant, réguliers et désespérés. Cette crise de larmes ne pouvait que la soulager et je n'essayai pas de la consoler.

Quand elle se fut un peu calmée, je me faufilai près de la fenêtre pour jeter un coup d'œil au-dehors. J'avais entendu des exclamations. Tout le monde était rassemblé, en demi-cercle, sur les lieux du drame, et Poirot, telle une sentinelle fantastique, les empêchait d'approcher.

Puis je vis deux silhouettes en uniforme traverser la pelouse à grandes enjambées. La police était là.

Je revins d'un pas lent vers le sofa. Et Nick leva vers moi son petit visage noyé de larmes.

— Que faut-il que je fasse ?

— Rien, mon enfant. Poirot s'en occupe. Laissez-le agir.

Nick demeura silencieuse un instant puis elle gémit :

— Pauvre Maggie. Pauvre vieille Maggie. Une si brave fille, qui n'aurait pas fait de mal à une mouche. Et il a fallu que cela lui arrive à *elle*. En la faisant venir, c'est moi qui l'ai tuée.

Je hochai tristement la tête. Comme il est difficile de prévoir l'avenir ! Lorsque Poirot avait insisté pour que Nick invite une amie, il était loin de se douter qu'il signait l'arrêt de mort d'une jeune fille inconnue.

Nous restâmes assis en silence. J'avais hâte de savoir ce qui se passait à l'extérieur mais, fidèle aux instructions de Poirot, je demeurai à mon poste.

Il me parut s'écouler des heures avant que la porte ne s'ouvre sur Poirot, accompagné d'un inspecteur de police. Une troisième personne les escortait, le Dr Graham sans doute. Il s'approcha tout de suite de Nick.

— Comment allez-vous, miss Buckley ? Ça a dû être un choc affreux. (Il lui tâta le pouls.) C'est bon. (Puis, se retournant vers moi :) A-t-elle pris quelque chose ?

— Oui, un peu de cognac, répondis-je.

— Ça va mieux, dit-elle bravement.

— Vous sentez-vous capable de répondre à quelques questions ?

— Bien sûr.

L'inspecteur de police fit un pas en avant et toussota. Ils devaient se connaître, car Nick grimaça un pauvre sourire :

— Cette fois-ci, je ne suis pas en train d'entraver la circulation.

— C'est une bien triste affaire, miss Buckley, dit l'inspecteur, je suis désolé. Mr Poirot, dont je connais bien la réputation et avec lequel je suis fier de collaborer, m'apprend que l'on a tiré sur vous l'autre matin dans les jardins de l'*Hôtel Majestic*. Il en a été le témoin.

Nick acquiesça.

— Sur le moment, j'ai cru qu'il s'agissait d'une guêpe, expliqua-t-elle.

— D'autres accidents inexplicables s'étaient produits les jours précédents ?

— Oui. En fait, ce qui est bizarre, c'est la vitesse à laquelle ils se sont succédé.

Elle narra brièvement les faits.

— Je vois. Maintenant, pourquoi votre cousine portait-elle votre châle ce soir ?

— Nous sommes rentrées prendre un manteau..., il faisait si froid à regarder le feu d'artifice. J'ai jeté mon châle là, sur ce canapé. Puis je suis montée mettre une fourrure légère, celle que j'ai sur moi. J'ai aussi pris une pèlerine pour mon amie Mrs Rice, dans sa chambre. Elle est encore par terre près de la fenêtre. Maggie m'a crié qu'elle ne trouvait pas son manteau et j'ai répondu qu'il devait être en bas. Elle est descendue le chercher. Mais elle ne le trouvait toujours pas. Elle l'avait probablement oublié dans la voiture. Elle cherchait un manteau en tweed, car elle n'avait pas apporté de manteau de fourrure pour le soir. J'ai voulu lui proposer un des miens, mais elle m'a dit que c'était inutile, qu'elle serait contente de prendre mon châle puisque je n'en avais pas besoin. « Mais il ne sera pas assez chaud », ai-je dit. En plaisantant, elle a prétendu qu'à côté du Yorkshire, ici il ne faisait vraiment pas très froid. Je suis descendue tout de suite après, et quand je suis arrivée...

Sa voix se brisa.

— Là... remettez-vous, miss Buckley. Une dernière question. Avez-vous entendu un ou deux coups de feu ?

— Non, rien du tout, les fusées et les pétards couvraient tous les autres bruits.

— C'est juste, remarqua l'inspecteur, il aurait été impossible d'entendre un coup de feu au milieu de ce vacarme. Je suppose qu'il est inutile de vous demander si vous avez le moindre soupçon sur ces accidents à répétition ?

— Pas le moindre, répondit Nick.

— Ça ne m'étonne pas, fit le policier. J'ai l'impression qu'il s'agit d'un fou dangereux. Sale affaire. C'est bon, je n'ai pas d'autres questions à vous poser ce soir, mademoiselle. Vous me voyez navré de toute cette affaire.

— Miss Buckley, je suggère que vous ne restiez pas ici, intervint le Dr Graham. Nous en parlions à l'instant avec Mr Poirot. Je connais un excellent établissement où vous pourrez vous reposer, vous en avez besoin. Vous avez subi un gros choc.

Est-ce la véritable raison ? demanda Nick en se tournant vers Poirot.

— Non seulement il vous faut de la sécurité, mais moi, j'ai besoin de vous savoir en sécurité, mon enfant. Vous aurez une infirmière auprès de vous, gentille, simple et efficace, qui vous veillera toute la nuit. Si vous vous réveillez en larmes, elle sera à vos côtés. Comprenez-vous ?

— Oui, moi j'ai compris, mais pas vous, se rebella Nick. Je n'ai plus peur, moi, je me moque de tout ce qui peut bien m'arriver maintenant. Après tout, qu'ils me tuent s'ils en ont envie.

— Chut ! lui dis-je avec douceur. Vous êtes à bout de nerfs.

— Mais vous ne vous rendez pas compte. Personne ici ne se rend compte !

— Je pense réellement que la solution de M. Poirot est la meilleure, lui dit le docteur d'une voix apaisante. Je vous emmène dans ma voiture et je vous donnerai un léger calmant qui vous permettra de passer une bonne nuit. Qu'en dites-vous ?

— Ça m'est égal, dit-elle. Comme vous voulez. Plus rien n'a d'importance.

Poirot lui prit les mains.

— Chère mademoiselle, je comprends ce que vous éprouvez. Vous me voyez devant vous honteux et anéanti. J'avais promis de vous protéger et je n'ai pas su tenir ma promesse. J'ai échoué. Je suis un misérable. Mais croyez bien que je souffre l'agonie. Si vous saviez mon tourment, vous me pardonneriez, j'en suis sûr.

— Allons, répondit Nick sur un ton monocorde, vous n'avez pas de reproches à vous faire. Je suis sûre que vous avez agi au mieux. Personne n'aurait rien pu faire de plus. Ne vous rendez pas malheureux.

— Vous êtes très généreuse, ma chère petite.

— Non, je...

L'irruption brutale de George Challenger l'interrompit au milieu de sa phrase.

— Qu'est-ce qui se passe ? s'exclama-t-il. J'arrive et je trouve un policier à la porte ! On me raconte que quelqu'un est mort ! Qu'est-ce que c'est que cette histoire ? Bon Dieu, répondez ! Est-ce que... est-ce qu'il s'agirait de... de Nick ?

J'avais rarement entendu une voix aussi angoissée. Je compris tout à coup que Poirot et le médecin lui cachaient la jeune fille.

Avant que personne n'ait eu le temps de répondre, il répéta :

— Dites-moi que ça n'est pas vrai !... Dites-moi que Nick n'est pas morte !

— Non, mon ami, répondit Poirot avec douceur. Elle est vivante.

Et il s'écarta pour permettre à Challenger de voir la petite silhouette étendue sur le sofa.

Incrédule, il dévisagea la jeune fille pendant quelques secondes, puis, titubant comme un homme ivre, il murmura :

— Nick, Nick...

Tombant à genoux près du canapé, il enfouit son visage dans ses mains et sanglota d'une voix étouffée :

— Nick, ma chérie... j'ai cru que vous étiez morte.

La jeune fille essaya de se redresser.

— Allons, allons, George. Ne soyez pas stupide. Je vais bien.

Il releva la tête et regarda autour de lui d'un air égaré.

— Mais quelqu'un est mort, non ? Le policier m'a dit...

— Oui, répondit Nick. Maggie. Cette pauvre vieille Maggie. Oh !...

Les traits de son visage se contractèrent. Le médecin et Poirot se précipitèrent pour l'aider à se mettre debout. Et, la soutenant chacun de leur côté, ils la firent marcher en direction de la porte.

— Plus vite vous serez au lit, mieux ça vaudra, insista le médecin. Je vous emmène sur-le-champ. J'ai demandé à Mrs Rice de vous préparer une petite valise.

Quand ils eurent quitté la pièce, Challenger me saisit par le bras.

— Je n'y comprends rien. Où l'emmènent-ils ?

Je le mis au courant.

— Ah bon ! je comprends. Maintenant, Hastings, pour l'amour du ciel, racontez-moi ce qui s'est passé. Quelle horrible tragédie ! Cette pauvre fille.

— Venez donc prendre un verre, proposai-je, vous êtes dans tous vos états.

— Ce n'est pas de refus !

Nous passâmes dans la salle à manger. Tout en avalant un whisky-soda bien tassé, il jugea bon de m'expliquer :

— J'ai cru que c'était Nick, vous comprenez.

Les sentiments du capitaine George Challenger n'étaient plus un secret pour personne. Jamais on ne vit cœur d'amoureux plus transparent.

9

DE « A » À « J »

Je n'oublierai jamais la nuit qui suivit le drame. Poirot était en proie à un tel sentiment de culpabilité que je me sentais très inquiet pour lui. Totalement sourd à mes protestations pleines de bonnes intentions, il arpentait sa chambre à grandes enjambées en jetant l'anathème sur sa propre tête.

— Voilà ce que c'est que d'avoir une trop bonne opinion de soi. J'ai été bien puni. Moi, Hercule Poirot, j'étais trop sûr de moi.

— Mais non, m'interposai-je.

— Aussi, qui pouvait imaginer pareille audace ? J'avais cru prendre toutes les précautions nécessaires. J'avais mis en garde le meurtrier...

— Que voulez-vous dire ?

— Mais oui ! J'avais attiré l'attention sur moi. Je lui avais laissé entendre que j'avais des soupçons, et je pensais avoir tout fait pour l'empêcher de recommencer en lui donnant l'impression qu'il allait se jeter dans la gueule du loup. J'avais tissé un filet autour de miss Buckley. Mais il s'est glissé à travers les mailles ! Avec audace, presque sous nos yeux. Nous avions beau être tous sur nos gardes, il a quand même réussi à atteindre son objectif.

— Pas exactement, lui rappelai-je.

— Pur hasard ! Pour moi, c'est du pareil au même. Quelqu'un est mort qui ne devait pas mourir, Hastings !

— Évidemment. Ce n'est pas ce que je voulais dire.

— Mais d'un autre côté, vous avez raison. Et c'est ce qu'il y a de pire. Car l'assassin n'a toujours pas atteint son but. Comprenez-vous, mon bon ami ? La situation ne peut que s'aggraver. Nous allons peut-être assister au sacrifice de deux vies, au lieu d'une.

— Pas tant que vous serez là, dis-je avec fermeté.

Il s'arrêta pour me prendre les mains.

— Merci, mon bon ami ! merci ! Vous avez encore confiance en votre vieux camarade, vous avez toujours la foi. Vous m'insufflez un regain de courage. Hercule Poirot ne se trompera plus. Il n'y aura pas de seconde victime. Je vais rectifier le tir car il est évident que j'ai dû commettre une erreur quelque part ! Il y a eu un manque d'ordre et de méthode dans mes idées habituellement si claires et organisées. Je vais tout reprendre de zéro. Et, cette fois-ci, je ne me tromperai pas.

— La vie de Nick Buckley est donc toujours en danger ?

— Sinon, pourquoi l'aurais-je fait transporter dans une clinique ?

— Ce n'était pas à cause du choc...

— Le choc ! Pfuitt ! On se remet aussi bien d'un choc chez soi, mieux parfois. D'autant qu'il n'y a vraiment rien d'amusant dans ces cliniques : le linoléum vert, le bavardage des infirmières, les repas sur un plateau, l'obsession de l'hygiène... Non, c'est uniquement dans un souci de sécurité. J'ai mis le médecin dans le secret et il est d'accord avec moi. Il va donner toutes les consignes nécessaires. Personne, pas même sa meilleure amie, n'aura la permission de voir miss Buckley. Il n'y aura que vous et moi. Pour les autres, eh bien ! on leur répondra que ce sont les ordres du médecin. C'est une petite phrase bien pratique qui n'admet pas de réplique.

— Simplement...

— Quoi, Hastings ?

— Cela ne pourra pas durer indéfiniment.

— Très juste. Mais cela nous laisse un peu de temps devant nous. Vous vous rendez bien compte que notre tâche a beaucoup évolué ? Dans un premier temps, nous devions assurer la sécurité de miss Buckley. À présent notre nouvelle mission est plus facile et en plus, il s'agit d'un travail qui nous est familier : nous recherchons un meurtrier.

— Vous trouvez cela plus facile ?

— Bien sûr. C'est ce que je vous disais l'autre jour : l'assassin a signé son crime. Il s'est découvert.

— Vous ne croyez pas... (J'hésitai.) Vous ne croyez pas que la police a raison et qu'il s'agit d'un fou, d'un vagabond à l'esprit dérangé ?

— Je suis de plus en plus convaincu du contraire.

— Vous pensez vraiment que...

Je m'interrompis et Poirot termina gravement la phrase que je commençais :

— ... que l'assassin est un proche de miss Nick ? Oui, mon bon ami.

— Pourtant, ce qui s'est passé cette nuit a quasiment écarté cette hypothèse. Nous étions tous réunis et...

Il m'interrompit.

— Hastings, pourriez-vous jurer que personne ne nous a jamais faussé compagnie pendant que nous nous trouvions au bord de la falaise ? Que vous n'avez pas quitté des yeux qui que ce soit de toute la soirée ?

— Non, dis-je lentement, frappé par ses propos. Il faisait sombre, nous nous sommes tous déplacés. J'ai aperçu à diverses reprises Mrs Rice, Lazarus, vous, Croft, Vyse... mais toute la soirée... non.

— Et voilà. C'était l'affaire de quelques minutes.

Les deux jeunes filles gagnent la maison ; l'assassin s'esquive discrètement pour aller se cacher au milieu de la pelouse derrière le sycomore. Nick Buckley, ou celle qu'il prend pour Nick, passe tout près de lui, il tire trois coups de feu rapides...

— Trois ? m'écriai-je.

— Oui. Il ne voulait rien laisser au hasard cette fois-là. Nous avons retrouvé trois balles dans le corps.

— Mais c'était risqué !

— Moins risqué, selon toutes probabilités, que ne l'aurait été un seul coup de feu. Un revolver Mauser ne fait pas beaucoup de bruit. Cela ressemble assez aux pétards qui éclatent pendant un feu d'artifice et se confond très bien dans ce vacarme.

— Vous avez retrouvé le revolver ?

— Non. Et c'est bien là la preuve, indiscutable à mes yeux, que nous n'avons pas affaire à un étranger. Nous sommes d'accord pour dire que l'arme de miss Buckley n'a été volée que pour une seule raison — tenter de maquiller son meurtre en suicide.

— Oui.

— C'est bien la seule raison possible. Mais vous constatez que maintenant on ne simule plus un suicide. *Le meurtrier sait qu'il ne peut plus nous tromper.* En réalité, il sait ce que nous savons !

Après réflexion, j'admis en moi-même la logique de ces déductions.

— Et à votre avis, qu'a-t-il fait de l'arme du crime ?

Il haussa les épaules.

— C'est difficile à dire. Le mieux était de la jeter à la mer. Pour peu qu'on l'ait envoyé au large, le revolver a coulé sans que l'on puisse jamais le retrouver. Nous ne pouvons en être certains, mais c'est ce que moi, j'aurais fait.

Cette vue objective des choses me fit frissonner.

— Pensez-vous... pensez-vous qu'il se soit rendu

immédiatement compte qu'il s'était trompé de personne ?

— Je suis presque sûr du contraire. Il a dû être désagréablement surpris en apprenant la vérité. Ne pas se trahir et garder un visage impassible, cela n'a pas dû être facile.

L'attitude équivoque d'Ellen, la domestique, me revint à l'esprit. Poirot sembla très intéressé par le récit que je lui fis de son comportement pour le moins particulier.

— D'après vous, elle a paru étonnée que la victime soit Maggie ?

— Oui.

— C'est curieux. Par contre la tragédie en elle-même ne l'a pas vraiment surprise. Il va falloir suivre cette piste. Qui est donc cette Ellen ? Tellement tranquille, tellement comme il faut, tellement conforme au modèle anglais de la domestique... Se pourrait-il qu'elle soit...

— Si vous songez aussi aux accidents, seul un homme aurait pu faire basculer cet énorme rocher du haut de la falaise.

— Pas forcément. Ce n'est qu'une question de levier, fit-il en poursuivant son lent va-et-vient dans la pièce. Tous ceux qui étaient à la Maison du Péril hier soir sont suspects. Sauf les derniers invités que l'on peut écarter. La plupart sont de simples connaissances et il n'y a aucune intimité réelle entre eux et la jeune maîtresse de maison.

— Charles Vyse était là, fis-je remarquer.

— C'est vrai, ne l'oublions pas. Il est en toute logique notre suspect numéro un. (Désespéré, il s'effondra dans un fauteuil.) Le mobile ! Nous y revenons toujours. Pour comprendre ce crime, il nous faut trouver le mobile. C'est toujours l'obstacle contre lequel je me heurte. Quel peut être le mobile du meurtrier ? Pourquoi veut-il se débarrasser de miss Nick ? Moi, Hercule Poirot, je me suis laissé aller aux suppositions les plus extravagantes, abaissé aux élucubrations les plus ignominieuses. J'ai raisonné comme dans les romans à quatre sous. Le « Vieux Nick » par exemple, ce grand-père qui aurait perdu toute sa fortune au jeu, eh bien je me suis demandé si c'était vrai ! Ne l'aurait-il pas au contraire cachée ? Enterrée dans un coin de la propriété ? C'est dans cet esprit, j'ai honte de vous l'avouer, que j'ai demandé à miss Nick si on lui avait fait des propositions pour lui acheter la maison.

— Mais, Poirot ! C'est peut-être une excellente idée.

— Ça ne m'étonne pas que cela séduise votre esprit romanesque et quelque peu vulgaire ! grogna Poirot. Un trésor enfoui ! J'étais sûr que cela vous plairait !

— Je ne vois pas pourquoi...

— Parce que les explications les plus simples, mon bon ami, sont en général les plus proches de la vérité. J'ai échafaudé des suppositions encore plus infamantes au sujet du père de miss Nick. Ce voyageur aurait pu dérober un joyau rare, une pierre sacrée, et être poursuivi par des prêtres fanatiques. Ah, je suis tombé bien bas !

» J'ai pensé à autre chose au sujet de son père, poursuivit-il. À quelque chose de plus sensé. Aurait-il, lors de ses pérégrinations, contracté un second mariage ? Y aurait-il un héritier plus proche que ne l'est Charles Vyse ? Mais, là encore, la piste ne mène à rien et nous nous retrouvons confrontés au même problème : il n'y a rien à hériter — rien qui justifie un crime, j'entends.

» Je n'ai rien négligé. Même lorsque Nick a mentionné l'offre faite par Mr Lazarus de lui acheter le portrait de son grand-père. Vous vous souvenez ? Le samedi même, j'ai envoyé un télégramme à un expert pour qu'il vienne examiner le tableau. C'était de lui que je parlais dans le mot que j'ai fait porter à

Nick ce matin. Et si la toile valait des milliers de livres sterling ?

— Mais un homme richissime comme Lazarus n'a certainement pas...

— Est-il si riche ? L'habit ne fait pas le moine. Même une vieille maison ayant pignon sur rue, avec des salles d'exposition prestigieuses et toutes les apparences de la prospérité, peut être très proche de la faillite. Que fait-on dans ce cas ? Crie-t-on sur les toits que les temps sont durs ? Que non ! on achète une voiture de grand luxe et on dépense encore plus d'argent qu'à l'accoutumée, avec ostentation. Parce que ce qui compte, c'est d'avoir du crédit, mon bon ami ! Et parfois une de ces grosses entreprises s'effondre faute de quelques milliers de livres disponibles.

» Oh ! je sais bien, ajouta-t-il en coupant court à mes protestations, j'extrapole, mais c'est déjà mieux que les prêtres ivres de vengeance ou le trésor enfoui. Au moins cette hypothèse donne un sens à tous ces événements, tels qu'ils se sont déroulés. Il ne faut rien laisser de côté. Tout peut nous rapprocher de la vérité.

Il redressait chaque objet posé sur la table avec des gestes méticuleux. Quand il reprit la parole, sa voix était grave, et pour la première fois, apaisée.

— Le mobile ! Revenons-y et examinons le problème avec calme et méthode. Quels sont les mobiles qui peuvent conduire un être humain à ôter la vie à l'un de ses semblables ?

» Nous excluons pour l'instant la pulsion homicide du maniaque. Car je suis absolument convaincu que la solution de notre problème ne réside pas là. Excluons aussi le meurtre commis dans le feu de l'action par un tempérament impulsif. Nous sommes devant un assassinat perpétré de sang-froid. Quels mobiles peuvent engendrer un tel crime ?

» Il y a d'abord *l'appât du gain*. Qui peut gagner à la mort de miss Buckley, directement ou indirectement ? Charles Vyse. Il hérite d'une propriété qui, sur le plan financier, ne vaut pas grand-chose. Peut-être pourrait-il lever l'hypothèque, transformer le terrain en lotissement et en tirer finalement un petit bénéfice. C'est possible. La propriété pourrait avoir également quelque valeur à ses yeux s'il y était profondément attaché, par des liens familiaux par exemple. C'est sans aucun doute un instinct profondément enraciné dans le cœur de certaines personnes, et j'ai vu, au cours d'affaires dont je me suis occupé, des gens amenés à tuer pour ce motif. Mais ce n'est pas le cas de Mr Vyse.

» Mrs Rice bénéficierait elle aussi de la mort de Nick. Mais elle hériterait d'une bagatelle. Je ne vois personne d'autre qui puisse avoir avantage à la mort de miss Buckley.

» À part l'appât du gain, qu'avons-nous encore ? La haine... ou l'amour transformé en haine : *le crime passionnel*. Or Mrs Croft, qui n'a pas les yeux dans sa poche, affirme que Charles Vyse et le capitaine Challenger sont tous les deux amoureux de la jeune fille.

— Nous avons d'ailleurs pu constater par nous-mêmes la passion de ce dernier, fis-je remarquer en souriant.

— Oui, ce brave marin ne cache pas ses sentiments. Quant à l'autre, nous devons nous contenter de croire Mrs Croft. Charles Vyse, se voyant supplanté, pourrait en être si violemment affecté qu'il préférerait tuer sa cousine plutôt que de la voir épouser un autre homme ?

— C'est un peu trop mélodramatique, objectai-je.

— Et très contraire au tempérament britannique, je suis d'accord. Pourtant les Anglais eux-mêmes peuvent éprouver des émotions. C'est sans doute le cas de Charles Vyse. Un jeune homme refoulé, qui ne doit pas souvent laisser voir ses sentiments. Ce sont souvent des êtres passionnés. En revanche, je ne soupçonnerais jamais le capitaine Challenger de tuer pour des raisons émotionnelles. Non, ça n'est pas son genre. Mais Charles Vyse... pourtant cela ne me satisfait pas entièrement.

» Autre mobile : la jalousie. Je la distingue de ce qui précède parce que ce n'est pas une émotion nécessairement liée à l'amour. Il s'agit d'une envie de posséder, de dominer. C'est bien la jalousie qui pousse le Iago de votre grand Shakespeare à commettre l'un des crimes les plus subtils — si on se place d'un point de vue professionnel — qui aient jamais été commis.

— Pourquoi était-ce si subtil ? demandai-je m'écartant momentanément de notre sujet.

— Parbleu ! Il le fait exécuter par un autre. Imaginez de nos jours un meurtrier auquel on ne peut passer les menottes, car il n'a jamais rien fait de mal lui-même. Mais nous nous égarons. La jalousie, de quelque nature qu'elle soit, a-t-elle pu être le mobile de ce crime-ci ? Qui avait des raisons d'envier miss Nick ? Une autre femme ? Il n'y a que Mrs Rice et, pour ce que j'ai pu voir, il n'existe pas de rivalité entre les deux femmes. Encore faudra-t-il approfondir cet aspect des choses.

» En dernier lieu, nous avons *la peur*. Miss Nick tient-elle entre ses mains le secret inavouable de quelqu'un ? Suffirait-il qu'elle commette une indiscrétion pour que l'existence même d'un de ses proches soit menacée ? Si c'est le cas, je suis quasiment certain qu'elle n'en est pas consciente. Mais c'est possible. Et si tel est le cas, elle ignore qu'elle est dépositaire de la clé de l'énigme, elle refuse involontairement de nous la livrer et elle est donc incapable de nous aider à la découvrir, ce qui complique bien les choses.

— Vous y croyez vraiment ?

— C'est une hypothèse. J'y suis amené parce que je ne vois pas d'autre explication. Une fois éliminées toutes les possibilités, celle qui reste doit être la bonne.

Il resta longtemps silencieux.

Émergeant enfin de ses pensées, il saisit une feuille de papier et se mit à écrire.

— Que faites-vous ? demandai-je.

— Je compose la liste des gens qui constituent l'entourage de miss Buckley. Si mes présomptions sont justes, le nom du meurtrier figure sur cette liste.

Il écrivit encore vingt bonnes minutes et me tendit les feuilles de papier.

— Tenez mon bon ami. Qu'est-ce que vous dites de ça ?

Je lus :

a) *Ellen.*
b) *Son mari, le jardinier.*
c) *Leur fils.*
d) *Mr Croft.*
e) *Mrs Croft.*
f) *Mrs Rice.*
g) *Mr Lazarus.*
h) *Le capitaine Challenger.*
i) *Charles Vyse.*
j)

Commentaires :
a) Ellen. *Soupçons : Son attitude et ses paroles à l'annonce du crime. Bien placée pour organiser les accidents et pour connaître l'existence du revolver, mais n'a probablement pas saboté la voiture. Agencement du crime au-dessus de son niveau.*

Mobile : *Aucun. Ou alors haine pour une raison inconnue.*

Note : *Enquêter sur ses antécédents et sur ses relations avec N.B.*

b) **Son mari** : *Voir ci-dessus. Plus susceptible d'avoir saboté la voiture.*

Note : *L'interroger.*

c) **Le fils** : *Peut être écarté.*

Note : *L'interroger. Peut livrer des informations intéressantes.*

d) **Mr Croft** : *Seul soupçon : le fait que nous l'ayons rencontré dans l'escalier qui mène à la chambre de Nick. L'explication qu'il a avancée est peut-être vraie — comme elle peut tout aussi bien être fausse ! Antécédents inconnus.*

Mobile : *aucun.*

e) **Mrs Croft** : *aucun soupçon.*

Mobile : *aucun.*

f) **Mrs Rice. Soupçons** : *Elle a eu la possibilité d'agir. A demandé à N.B. de lui apporter une pèlerine. A délibérément tenté de faire passer N.B. pour une menteuse en disant qu'il ne fallait pas croire à ces histoires d'« accidents ». N'était pas à Tavistock lorsqu'ils se sont produits. Où était-elle ?*

Mobile : *Appât du gain ? Peu probable. Jalousie ? Peut-être, mais on ne sait rien. Peur ? Encore possible, mais toujours pas de raison en vue.*

Note : *En parler avec N.B. et voir si ces points peuvent être éclaircis. Corrélation possible avec le mariage de F.R.*

g) **Mr Lazarus. Soupçons** : *a eu la possibilité d'agir en toute quiétude. A proposé d'acheter le tableau. A prétendu que les freins de la voiture n'avaient rien (selon F.R.). Se trouvait peut-être dans les parages avant vendredi.*

Mobile : *Aucun, sauf bénéfice en vue sur le tableau. Peur ? Peu probable.*

Note : *Chercher où se trouvait J.L. avant de se rendre à St Loo. Enquêter sur la situation financière de Aaron Lazarus & Fils.*

h) Le capitaine Challenger: *Soupçons : aucun. Se trouvait dans la région toute la semaine et de ce fait, susceptible d'avoir trempé dans les « accidents ». Est arrivé une demi-heure après le meurtre.*

Mobile : *aucun.*

i) Mr Vyse. *Soupçons : n'était pas dans son bureau quand le coup de feu a été tiré dans le jardin de l'hôtel : Pourrait être notre suspect. Prétend que N.B. refuserait de vendre la maison. Caractère refoulé. Probablement au courant de l'existence du revolver.*

Mobile : *Appât du gain ? Douteux. Haine ou amour ? Possible, vu son tempérament. Peur ? Peu vraisemblable.*

Note : *Rechercher qui détient l'hypothèque. Se renseigner sur la situation financière de Vyse.*

j) ? *Il pourrait y avoir une dixième personne, c'est-à-dire un tiers en contact étroit avec l'une des précédentes. Peut-être* a, d, e *ou* f. *L'existence de* j *expliquerait :*

(1) L'absence de surprise d'Ellen face au meurtre et le plaisir que la nouvelle semblait lui procurer. (Sa satisfaction pourrait se justifier par l'excitation malsaine devant la mort qu'éprouvent parfois les gens de son milieu.)

(2) La raison pour laquelle Croft et sa femme ont choisi de s'installer dans le pavillon.

(3) Pourrait fournir un mobile à F.R., soit par crainte de voir un secret dévoilé, soit par jalousie.

Pendant que je lisais, Poirot m'observait.

— Mon anglais est impeccable, vous ne trouvez pas ? me fit-il remarquer avec fierté. Je m'exprime mieux par écrit qu'oralement.

— Voilà du beau travail, le félicitai-je. Les diverses possibilités sont très clairement établies.

Il me reprit les papiers et, réfléchissant tout haut :

— Un nom saute aux yeux, mon bon ami : Charles Vyse ! C'est lui qui réunit toutes les conditions.

Nous lui avons laissé le choix entre deux mobiles. S'il s'agissait d'un tiercé, nous pourrions dire qu'il part favori.

— C'est notre suspect numéro un.

— Mais vous avez une fâcheuse tendance à préférer le moins suspect, Hastings. Vous avez lu trop de romans policiers. Dites-vous bien que dans la réalité, neuf fois sur dix, c'est le suspect le plus évident qui a effectivement commis le crime.

— Vous ne pensez tout de même pas que ce soit le cas ?

— Un seul détail rend la chose improbable : l'audace du crime ! Cela m'a frappé depuis le début. Parce que cette audace nous empêche de discerner clairement le mobile.

D'un geste brusque, il froissa les feuilles de papier et les jeta par terre. Il m'interrompit quand je tentai de protester.

— Non, cette liste n'a servi qu'à m'éclaircir les idées. L'ordre et la méthode ! La première démarche consiste à classer les faits avec clarté et précision. La deuxième...

— Oui ?

— La deuxième étape est d'ordre plus psychologique. L'utilisation à bon escient des petites cellules grises. Vous feriez mieux d'aller vous coucher, Hastings.

— Non, je reste avec vous ! protestai-je.

— Le bon chien fidèle ! Mais voyez-vous, Hastings, vous ne pouvez pas m'aider à réfléchir. Or, c'est ce que je vais faire à présent.

J'insistai :

— Vous aurez peut-être besoin de discuter certains points essentiels avec moi.

— Bon, bon, quel ami loyal ! Installez-vous au moins, je vous en conjure, sur la chaise longue.

J'acceptai son offre. Peu après, la chambre se mit à rouler et à tanguer. La dernière chose dont je me souviens, ce fut Poirot récupérant soigneusement les feuilles de papier froissées sur le sol et les jetant dans la corbeille.

Puis je dus sombrer dans le sommeil.

10

LE SECRET DE NICK

Quand je me réveillai, il faisait grand jour.

Poirot était encore assis dans le fauteuil qu'il occupait la veille au soir. Son attitude était identique, mais son expression avait changé. Dans ses yeux, pareils à ceux d'un chat, brillait l'étrange petite lueur verte que je connaissais bien.

Encore ensommeillé, je me redressai tant bien que mal, me sentant tout courbatu. À mon âge, il n'est plus très recommandé de dormir sur une chaise longue. En revanche, au lieu d'être dans un état de somnolence bienheureuse, je me sentais les idées claires et l'esprit vif, exactement comme quand je m'étais endormi.

— Poirot, m'exclamai-je, vous avez fait une découverte !

Il acquiesça et tambourina sur la table :

— Hastings, veuillez répondre à ces trois questions. Pourquoi miss Nick dormait-elle mal ces derniers temps ? Pourquoi s'est-elle acheté une robe noire pour la soirée alors qu'elle n'aime pas cette couleur ? Pourquoi a-t-elle dit hier soir : « Je ne peux pas vivre... plus comme ça... plus maintenant » ?

Je le dévisageai, interloqué. Ces questions me semblaient totalement étrangères à notre affaire.

— Répondez-moi, Hastings !

— Euh... en ce qui concerne la première, elle a dit qu'elle avait eu des soucis.

— Très juste. Mais lesquels ?

— Quant à la robe noire..., eh bien j'imagine que tout le monde un jour a envie de changement.

— Pour un homme marié, vous ne vous y connaissez guère en psychologie féminine. Si une femme estime qu'une couleur ne lui sied pas, elle ne la portera pas, un point c'est tout !

— Enfin, votre dernière question, je crois que c'était une réaction assez normale après ce choc affreux.

— Absolument pas. Il était naturel qu'elle soit horrifiée par la mort de sa cousine, qu'elle se la reproche, mais pas qu'elle ait perdu sa raison de vivre. Ce brusque dégoût de la vie, comme si plus rien ne lui était cher... jamais elle ne s'était montrée aussi abattue auparavant. Elle avait joué les incrédules, les insouciantes et quand elle a compris le danger, elle a eu peur... parce que la vie était belle et qu'elle ne voulait pas mourir. Mais elle n'en a jamais eu assez de vivre. Jamais ! Jusqu'à notre souper d'hier soir où il s'est opéré un changement psychologique. Il serait intéressant d'en connaître l'origine.

— La mort de sa cousine.

— Peut-être. Cela, c'est le choc qui lui a délié la langue. Mais à mon avis, il faut remonter plus loin. Qu'y a-t-il eu d'autre ?

— Je ne vois rien.

— Réfléchissez, Hastings, utilisez vos petites cellules grises.

— Non, vraiment...

— Quel a été le dernier moment où nous avons eu l'occasion de l'observer ?

— Pendant le dîner.

— Exact. Ensuite nous l'avons seulement vue recevoir ses invités, les accueillir, dans une attitude purement conventionnelle. Que s'est-il passé à la fin du repas, Hastings ?

— Elle est allée téléphoner, dis-je lentement.

— À la bonne heure. Nous y sommes enfin. Elle est allée téléphoner et elle est restée longtemps absente. Vingt bonnes minutes. C'est bien long pour un coup de téléphone. Avec qui parlait-elle et que se sont-ils dit ? D'ailleurs a-t-elle vraiment téléphoné ? Hastings, il faut trouver ce qui s'est passé pendant ces vingt minutes. Car je crois fermement que c'est là que nous trouverons l'indice que nous cherchons.

— Vraiment ?

— Mais oui ! Hastings, je n'ai cessé de vous répéter que miss Nick nous cachait quelque chose. Elle s'imagine que cela n'a rien à voir avec le meurtre, mais moi Hercule Poirot, je suis convaincu du contraire. Depuis le début, je sais qu'il me manque un élément du puzzle. Si cet élément ne m'avait pas fait défaut, tout serait clair ! Eh bien, ce facteur manquant est la clé du mystère ! Je sais que j'ai raison, Hastings !

» Il faut que j'obtienne la réponse à ces trois questions. Alors, et alors seulement, je commencerai à y voir clair.

— Si c'est ainsi, dis-je en bâillant et en m'étirant, je crois que je ne ferais pas mal de prendre un bon bain et de me raser...

Après m'être changé, je me sentis nettement mieux. La fatigue et la raideur causées par cette nuit inconfortable avaient disparu. Je m'installai devant mon petit déjeuner et une bonne tasse de café chaud acheva de me remettre d'aplomb.

Je parcourus le journal distraitement. À part la confirmation de la mort de Michael Seton, il n'y avait pas grand-chose.

L'aviateur intrépide avait péri. Je me demandais si

le lendemain, on verrait en gros titre : MYSTÉRIEUSE TRAGÉDIE. MEURTRE D'UNE JEUNE FILLE PENDANT UN FEU D'ARTIFICE. Ou quelque chose d'approchant.

Je venais de terminer mon petit déjeuner quand Frederica Rice s'approcha de ma table. Plus ravissante que jamais, elle portait une petite robe unie en lainage noir bordée d'un col blanc plissé.

— Bonjour, capitaine Hastings, je voudrais voir Mr Poirot. Savez-vous s'il est levé ?

— Venez avec moi, lui répondis-je, nous le trouverons sûrement dans le salon.

— Merci.

— Vous n'avez pas trop mal dormi ? m'informai-je alors que nous quittions la salle à manger.

— J'ai eu un choc, certes, répondit-elle d'une voix pensive. Mais je ne connaissais pas cette pauvre gosse. Ce n'est pas comme s'il s'était agi de Nick.

— Vous ne l'aviez jamais rencontrée ?

— Si, une fois à Scarborough. Elle était venue déjeuner avec Nick.

— Quel coup terrible pour ses parents ! soupirai-je.

— Epouvantable.

Elle avait dit cela sans grande conviction. C'était, à mon humble avis, une créature très égocentrique. Rien ne devait guère compter pour elle en dehors de ce qui la touchait personnellement.

Poirot avait fini son petit déjeuner et lisait le journal. Il se leva pour accueillir Frederica avec sa politesse coutumière.

— Enchanté, madame !

Et il lui offrit un siège.

Elle le remercia d'un pâle sourire et s'assit. Très droite, les mains reposant sur les accoudoirs, elle regardait devant elle, sans paraître pressée de parler. Son calme et sa réserve étaient impressionnants.

— Monsieur Poirot, dit-elle enfin, il n'y a pas de

doute que ce... que cette pénible affaire de la nuit
passée faisait partie d'un tout, et que Nick était en
réalité la victime désignée.

— Pas l'ombre d'un doute, madame.

Frederica fronça les sourcils :

— Décidément, Nick est née sous une bonne
étoile.

Je perçus dans sa voix une intonation curieuse et
dont je ne saisis pas le sens.

— La roue de la chance, dit-on, ne cesse de tourner, remarqua Poirot.

— Oui, et on n'y peut rien.

Il n'y avait plus que de la lassitude dans sa voix à
présent. Puis elle reprit :

— Je dois vous demander pardon, monsieur Poirot, ainsi qu'à Nick. Jusqu'à hier soir, je n'y croyais
pas. Je n'ai jamais envisagé que le danger soit...
sérieux.

— Vraiment, madame ?

— Désormais, il va falloir tout passer au crible. Et
j'imagine qu'aucun proche de Nick ne sera à l'abri
des soupçons. C'est ridicule bien sûr, mais c'est
comme ça. Ai-je tort, monsieur Poirot ?

— Vous êtes très intelligente, madame.

— Vous m'avez posé des questions sur Tavistock,
l'autre jour, cher monsieur. Vous apprendrez tôt ou
tard la vérité, alors je préfère vous la dire moi-
même : je n'ai pas été à Tavistock.

— Je le savais, madame.

— Je suis descendue en voiture dans la région
avec Mr Lazarus au début de la semaine dernière.
Nous ne souhaitons pas que la terre entière soit au
courant. Nous avons séjourné dans un endroit qui
s'appelle Shellacombe.

— C'est à environ dix kilomètres d'ici ?

— Oui.

Elle continuait de parler avec détachement, d'une
voix calme et lasse.

— Puis-je me permettre une question indiscrète, madame ?

— Existe-t-il encore des questions indiscrètes de nos jours ?

— Vous avez sans doute raison, madame. Depuis quand connaissez-vous Mr Lazarus ?

— Nous nous sommes rencontrés il y a six mois.

— Et vous... euh... vous éprouvez des sentiments pour lui, madame ?

Frederica haussa les épaules.

— Il est... très riche.

— Oh là là ! s'écria Poirot. Ce n'est pas bien joli de dire cela !

Elle parut vaguement amusée.

— Je préfère le dire moi-même avant de l'entendre dans votre bouche.

— Oui, c'est une bonne raison en effet. Je répète, madame, que vous êtes très intelligente.

— Vous allez bientôt me décerner un diplôme, ironisa Frederica en se levant.

— Vous n'aviez rien d'autre à me dire ?

— Non, c'est tout. Je vais aller porter des fleurs à Nick et prendre de ses nouvelles.

— C'est très gentil de votre part. Et merci pour votre franchise, madame.

Elle lui jeta un regard scrutateur et sembla sur le point de parler, puis elle se reprit et quitta la pièce en m'adressant un léger sourire tandis que je lui tenais la porte.

— Elle est très intelligente, répéta Poirot. Mais Hercule Poirot aussi !

— Que voulez-vous dire ?

— C'était fort habile et rusé d'étaler sous mon nez la richesse de Mr Lazarus...

— J'ai trouvé ça plutôt répugnant.

— Mon cher, votre réaction est saine mais, en l'occurrence, elle est parfaitement déplacée. Il ne s'agit pas d'une question de bon ou de mauvais goût.

Si Mrs Rice a un chevalier servant richissime qui lui offre tout ce qu'elle désire, il est évident qu'elle n'a aucun besoin d'assassiner sa meilleure amie pour un petit héritage insignifiant !

— Oh !

— Et voilà ! Vous avez tout compris !

— Pourquoi ne l'avez-vous pas empêchée d'aller voir Nick ?

— Pourquoi dévoiler mon jeu ? Serait-ce Hercule Poirot qui empêche miss Nick de recevoir ses amis ? Quelle idée ! Ce sont le médecin et les infirmières. Ces empêcheuses de tourner en rond ! avec leurs règlements et leurs consignes : « Ordre du médecin. »

— Vous ne craignez pas qu'on la laisse entrer tout de même ? Nick pourrait insister pour la voir ?

— Personne n'entrera, Hastings, sauf vous et moi. Et en parlant de cela, plus tôt nous y serons, mieux cela vaudra.

La porte du salon s'ouvrit à toute volée et George Challenger fit brusquement irruption. Son visage hâlé était rouge d'indignation.

— Dites-moi, monsieur Poirot, commença-t-il, qu'est-ce que ça veut dire ? J'ai appelé cette fichue maison de repos pour prendre des nouvelles de Nick et demander à quelle heure je pourrais passer la voir. Et voilà qu'on me répond que le médecin n'autorise aucune visite. J'aimerais bien que l'on me dise de quoi il retourne. En d'autres termes, est-ce que l'ordre vient de vous ? Ou Nick est-elle vraiment tombée malade à la suite du choc ?

— Je vous promets, monsieur, que ça n'est pas moi qui fixe le règlement des cliniques. Je ne me le permettrais pas. Pourquoi n'avez-vous pas appelé ce bon docteur... comment s'appelle-t-il donc... Ah ! le Dr Graham.

— C'est ce que j'ai fait. Il m'a répondu qu'elle allait aussi bien que possible, le baratin habituel.

Mais je connais leur rengaine, mon oncle est médecin à Harley Street. Il est spécialiste des nerfs, enfin psychanalyste, vous voyez... et il se débarrasse des amis et de la famille avec ce genre de paroles lénifiantes. Je suis au courant de ce coup-là. Je ne peux pas croire que Nick ne puisse recevoir personne et je suis sûr que c'est vous qui êtes à l'origine de cette décision.

Poirot lui sourit très gentiment : il a toujours eu un faible pour les amoureux.

— Bon, écoutez-moi, mon ami. Si on autorise un proche à entrer, pourquoi laisser les autres dehors ? Vous comprenez ? C'est tout le monde ou personne. Vous désirez tout comme moi qu'elle soit en sécurité, non ? Alors soyez compréhensif, et admettez qu'on ne la laisse voir à *personne*.

— Je vous suis, dit Challenger avec lenteur, mais alors...

— Chut ! N'ajoutons rien et oublions même cette conversation. Il nous faut agir avec une extrême prudence à présent.

— Je sais tenir ma langue, répliqua le marin.

Il se dirigea vers la porte et demanda avant de sortir :

— Il y a embargo sur les fleurs ou bien elles sont autorisées ? À condition qu'elles ne soient pas blanches, cela va de soi !

Poirot se contenta d'un sourire.

— Maintenant, poursuivit-il après que la porte se fut refermée derrière l'impétueux capitaine, pendant que Mr Challenger, Mrs Rice et — pourquoi pas ? — Mr Lazarus se retrouvent tous chez le fleuriste, nous allons tranquillement nous rendre là-bas.

— Et lui demander de répondre à vos trois questions ?

— Exactement. Bien que je connaisse les réponses.

— Quoi ? m'exclamai-je.

— Parfaitement.

— Depuis quand... ?

— Depuis ce matin, Hastings. Cela m'a sauté aux yeux alors que je prenais mon petit déjeuner.

— Dites-moi tout.

— Non, je laisserai à miss Nick le soin de vous répondre.

Puis, pour me faire penser à autre chose, il me tendit une lettre décachetée.

C'était le compte rendu de l'expert qui avait examiné le portrait du vieux Nicolas Buckley. La peinture ne valait pas plus de vingt livres sterling.

— Voilà un point d'éclairci.

— Il n'y a pas de souris dans cette souricière, dis-je en reprenant une expression qu'avait employée un jour Poirot.

— Tiens ! vous vous en souvenez ? Vous avez tout à fait raison. Vingt livres alors que Mr Lazarus en proposait cinquante. Une belle erreur d'appréciation pour un jeune homme aussi futé. Bon, occupons-nous de nos affaires.

La clinique était perchée sur une colline dominant la baie. La blouse blanche de service qui nous reçut nous fit entrer dans une petite salle d'attente où une infirmière à l'œil vif vint nous retrouver.

Un coup d'œil à Poirot lui suffit : elle avait apparemment reçu des instructions du Dr Graham, assorties d'une description détaillée du détective. Elle dissimula même un sourire.

— Miss Buckley a passé une bonne nuit. Suivez-moi, je vous prie.

Nous trouvâmes Nick dans une chambre baignée de soleil. Dans son étroit lit en fer, elle ressemblait à une petite fille. Très pâle et les yeux rouges, elle avait l'air fatigué et apathique.

— C'est gentil d'être venu, dit-elle d'une voix faible.

Poirot lui prit la main.

— Du courage, chère petite mademoiselle. La vie vaut toujours la peine d'être vécue.

Ces paroles la firent sursauter et elle le regarda droit dans les yeux.

— Oh ! dit-elle simplement.

— Vous ne pouvez pas me confier à présent ce qui vous tourmentait si fort ces derniers jours ? Faudra-t-il que je devine ? Je vous présente toutes mes condoléances, mademoiselle.

Elle devint écarlate.

— Alors vous savez. Bah ! ça n'a plus d'importance désormais, puisque tout est fini. Puisque je ne le reverrai jamais.

Sa voix se brisa.

— Du courage, mademoiselle.

— Je n'en ai plus. J'ai épuisé toutes mes réserves ces dernières semaines. J'espérais, je ne faisais qu'espérer jusqu'à l'ultime instant, contre tout espoir.

Interloqué, je les regardais sans rien comprendre.

— Regardez ce pauvre Hastings, ajouta Poirot. Il ne sait pas de quoi nous parlons.

Son regard malheureux rencontra le mien et elle m'expliqua :

— Michael Seton, l'aviateur. Nous étions fiancés et il est mort.

11

LE MOBILE

Je restai confondu. Puis je me tournai vers Poirot :

— Vous le saviez ?

— Oui, mon bon ami, depuis ce matin.

— Mais comment l'avez-vous découvert ? Vous avez deviné ? Vous m'avez dit que cela vous avait sauté aux yeux pendant votre petit déjeuner.

— Exactement, mon bon ami. C'était sur la première page du journal. Je me suis souvenu de notre conversation pendant le dîner et j'ai fait le rapprochement.

Il revint à Nick :

— Vous avez appris la nouvelle hier soir ? demanda-t-il à Nick.

— Oui, à la radio. J'ai prétexté un coup de téléphone. Je voulais être seule, au cas où... (Elle étouffa un sanglot.) Et je l'ai entendu...

— Calmez-vous, mon petit, je sais...

Il lui reprit la main.

— C'était affreux. Tous les invités arrivaient et je ne sais pas comment j'ai pu tenir. J'avais l'impression d'être dans un rêve, d'être... comment dire ?... d'être dédoublée. Je me voyais en train de les accueillir et me comporter comme si de rien n'était. C'était très bizarre.

— Oui, je comprends.

— Ensuite, quand je suis partie chercher la pèlerine de Freddie, je me suis effondrée. J'ai réussi à me ressaisir rapidement, Maggie m'appelait parce qu'elle ne trouvait pas son manteau. C'est alors qu'elle a pris mon châle et qu'elle est sortie. Avant de la rejoindre, je me suis repoudrée, j'ai mis un peu de rouge et puis je l'ai trouvée... morte...

— Oui, quel choc terrible !

— Mais non ! Vous ne comprenez pas. J'étais furieuse ! J'aurais voulu que ce soit moi ! J'aurais voulu mourir ! J'avais envie de mourir... et j'étais là, à devoir vivre encore des années ! Alors que Michael est mort, noyé là-bas dans le Pacifique.

— Pauvre enfant.

— Je ne veux plus vivre. Je vous dis que je veux mourir ! criait-elle au désespoir.

— Je sais... Pour chacun d'entre nous, il y a un moment où la mort nous semble meilleure que la vie, chère et jeune mademoiselle. Et puis cela passe, le chagrin et la douleur s'atténuent. Vous ne pouvez pas me croire à présent bien sûr, et le vieil homme que je suis parle dans le vide. Ce ne sont que des mots... C'est ce que vous pensez, rien que des mots.

— Vous vous imaginez que je vais oublier ! Et que j'en épouserai un autre ! Jamais !

Assise dans son lit, les mains jointes et les joues en feu, elle était d'une beauté émouvante.

— Mais non, je ne pense rien de tout cela, reprit Poirot avec douceur. Vous avez beaucoup de chance. Vous avez été aimée par un homme exceptionnel, un héros. Comment l'avez-vous connu ?

— Au Touquet, en septembre de l'année dernière. Il y a presque un an.

— Quand vous êtes-vous fiancés ?

— Juste après Noël. Mais il ne fallait pas que ça se sache.

— Pourquoi ?

— À cause de l'oncle de Michael, le vieux sir Matthew Seton. Il raffolait des oiseaux et haïssait les femmes.

— Ah ! ce n'est pas raisonnable !

— Ce n'est pas exactement ce que je voulais dire. C'était un homme complètement excentrique. À ses yeux, toutes les femmes étaient nuisibles. Michael dépendait entièrement de ses subsides. Sir Matthew était terriblement fier de son neveu, et c'est lui qui a financé la construction de l'*Albatros* ainsi que tous les frais de cette expédition autour du monde. C'était le rêve de leur vie, à Michael et lui. Si Michael avait réussi, il aurait pu demander n'importe quoi à son oncle. Et même si le vieux sir Matthew avait persisté dans son attitude intransigeante, ça n'aurait pas été grave. Une fois que Michael serait devenu un héros mondial, son oncle aurait bien fini par céder.

— Oui, oui, je vois.

— Michael m'avait dit que si la nouvelle filtrait, ce serait le drame. Nous ne devions révéler notre secret à personne. Je lui ai obéi et personne ne l'a su... pas même Freddie.

— Si seulement vous me l'aviez dit à moi, grommela Poirot.

Elle le dévisagea :

— Quelle différence cela aurait-il fait ? Cela n'a rien à voir avec ces mystérieuses agressions dont je suis l'objet ! Non, j'avais donné ma parole à Michael. Mais cela a été affreux, j'avais si peur, je me demandais toujours ce qu'il allait arriver. J'étais dans tous mes états... Les autres me trouvaient nerveuse et je ne pouvais pas leur expliquer.

— Maintenant, tout devient clair.

— Il avait déjà disparu une fois, vous savez. Quand il a survolé le désert avant d'arriver aux Indes. Ça a été épouvantable, et puis finalement tout s'est arrangé. Son appareil était endommagé, mais on l'a réparé et il est reparti. Et je n'ai pas arrêté de me dire que, cette fois, ce serait pareil. C'est pour cela que je gardais espoir. Tout le monde le croyait perdu et moi, je me forçais à penser le contraire... Jusqu'à la nuit dernière...

Sa voix se perdit dans un murmure.

— Jusqu'à quand avez-vous conservé de l'espoir ?

— Je ne sais plus. C'était davantage un refus de croire à l'évidence. Le plus terrible était de ne pouvoir me confier à personne.

— Oui, je peux facilement le concevoir. Vous n'avez jamais été tentée de tout raconter à Mrs Rice, par exemple ?

— Parfois j'ai été sur le point de le faire.

— Elle n'avait rien deviné ?

— Je ne le pense pas, répondit Nick après réflexion. Elle n'en a jamais rien dit. Bien sûr, de temps en temps, elle glisse quelques allusions. Elle parle de notre grande amitié, et tout cela...

— Et vous n'avez pas eu envie de tout lui raconter après la mort de l'oncle de votre fiancé ? Vous savez qu'il est décédé la semaine dernière ?

— Oui. Des suites d'une opération, je crois. À ce moment-là, j'aurais pu le crier sur les toits. Mais cela aurait manqué d'élégance, non ? Ç'aurait été un peu prétentieux de ma part d'annoncer cette nouvelle alors que tous les journaux parlaient de Michael. Les journalistes seraient venus me poser des questions. J'aurais trouvé cela plutôt mesquin et Michael aurait été furieux.

— Je suis parfaitement d'accord avec vous, chère mademoiselle. Il n'était pas question de l'annoncer officiellement. Mais plus rien ne vous empêchait de vous confier à une amie.

— Je l'ai laissé entendre à quelqu'un, reconnut Nick. Je trouvais que c'était plus correct de ma part. Mais j'ignore comment il... comment cette personne a pris la nouvelle.

Poirot acquiesça puis, brusquement, changea de sujet.

— Êtes-vous en bons termes avec votre cousin, Mr Vyse ?

— Charles ? Pourquoi me parlez-vous de lui ?

— C'était juste une question que je me posais.

— Charles est un brave garçon, mais on jurerait qu'il a avalé son parapluie. Il est raide comme la justice. En plus, il ne bouge jamais d'ici ! Je crois que je le scandalise.

— Chère petite mademoiselle, chère petite mademoiselle ! J'ai entendu dire qu'il vous était dévoué corps et âme.

— Vous pouvez très bien avoir un béguin pour quelqu'un dont vous désapprouvez hautement le mode de vie. C'est le cas de Charles, il est choqué que je boive des cocktails et que je me maquille, il n'aime ni mes amis ni nos conversations. Mais j'exerce quand même sur lui une attraction irrésistible ! Il se figure sans doute qu'il peut me changer.

D'un air vaguement enjoué, elle ajouta :

— D'où tenez-vous ce ragot ?

— Ne me dénoncez pas, mademoiselle. J'ai bavardé avec cette dame australienne, Mrs Croft.

— Elle est charmante quand on a le temps de s'arrêter pour lui faire la conversation, mais elle est terriblement sentimentale. L'amour, le foyer et les enfants... vous voyez le genre.

— Moi aussi, je suis sentimental et démodé, mademoiselle.

— Ah bon ? J'aurais plutôt pensé que le capitaine Hastings était le plus sentimental de vous deux.

Vexé, je rougis.

— Il est outré, renchérit Poirot qui se délectait de mon embarras. Mais vous avez vu juste, mademoiselle. C'est vrai.

— Pas du tout, grognai-je d'un air renfrogné.

— Hastings est un homme d'un naturel profondément bon. Dans certaines circonstances, cela m'a déjà posé des problèmes.

— Vous êtes absurde, Poirot.

— Pour commencer, il se refuse à voir le mal où qu'il soit, et quand il ne peut plus nier l'évidence, son indignation — légitime — est telle qu'il est incapable de faire la part des choses. Une telle nature ne se rencontre que rarement. Non, mon bon ami, ne me contredisez pas. C'est comme je le dis.

— Vous avez tous les deux été très bons pour moi, dit Nick gentiment.

— Là, là, ma chère petite mademoiselle. Ce n'est rien. Nous avons encore du pain sur la planche. Tout d'abord, vous allez rester ici et suivre mes instructions. Au point où nous en sommes, je ne veux pas de fausse manœuvre.

Nick poussa un soupir, découragée.

— Je ferai tout ce que vous voudrez. Plus rien ne m'importe.

— Vous ne verrez personne jusqu'à nouvel ordre.

— Cela m'est égal. Je n'ai envie de voir personne.

— Ne faites rien et laissez-nous agir. Maintenant, chère, chère petite mademoiselle, je ne veux plus vous importuner dans votre chagrin et je vous laisse.

Il avait déjà la main sur la poignée de la porte quand il demanda, par-dessus son épaule :

— Au fait, vous avez parlé d'un testament. Où se trouve-t-il ?

— Bah ! il doit traîner quelque part.

— À la Maison du Péril ?

— Oui.

— Dans un coffre ? Ou dans un tiroir de votre bureau ?

— Je ne sais plus très bien. (Elle réfléchit.) Je suis terriblement désordonnée. Je pense que tous mes papiers et autres documents de ce genre doivent se trouver dans le tiroir de la table de la bibliothèque. C'est là que je mets les factures, vous trouverez sans doute le testament au milieu. Ou dans ma chambre, peut-être.

— M'autorisez-vous à le rechercher ?

— Bien sûr. Vous pouvez fouiller partout.

— Merci, mademoiselle. Je me prévaudrai de votre permission.

12
ELLEN

Poirot resta silencieux jusqu'à ce que nous soyons sortis de la maison de repos. Puis il me saisit par le bras.

— Vous voyez, Hastings ? Ah, sacré tonnerre ! J'avais bien raison ! j'ai toujours su qu'il manquait un élément, une des pièces du puzzle. Sans cette pièce, l'ensemble ne tenait pas debout.

L'accent quasi triomphant de Poirot me semblait bien déplacé étant donné la situation. Non seulement nous venions d'apprendre une triste nouvelle mais, en plus, l'enquête n'avait pas progressé d'un pouce.

— Cet élément de l'histoire est là depuis le début, et je ne le voyais pas. Mais comment l'aurais-je pu ? Je subodorais quelque chose bien sûr, mais il fallait découvrir au juste quoi, ce qui est toujours une autre paire de manches.

— Vous voulez dire que la mort de Seton a un rapport direct avec notre crime ?

— Ma foi, vous êtes aveugle ?

— Eh bien, peut-être.

— Parbleu ! Nous tenons enfin ce que nous cherchions : le mobile, le mobile caché !

— Je dois être vraiment obtus mais je ne vois pas. Vous voulez parler de jalousie ?

— De jalousie ? Mais non, mon cher. Le mobile habituel, classique, incontournable : l'appât du gain, mon bon ami ! l'argent.

Comme je restais bouche bée, il poursuivit posément.

— Ecoutez-moi, mon bon ami. La semaine dernière, sir Matthew Seton meurt. Il était millionnaire, l'un des hommes les plus riches d'Angleterre.

— Oui, et alors ?

— Attendez... Chaque chose en son temps. Il idolâtrait son neveu et il y a tout lieu de croire qu'il lui a légué son immense fortune.

— Mais...

— Mais oui ! Je vous accorde des legs ou même une dotation en faveur de son passe-temps favori, mais le plus gros de son bien reviendra à Michael Seton. Mardi dernier, le bruit court que l'aviateur a disparu, et dès le mercredi, les attentats contre la vie de miss Buckley commencent. Hastings, imaginez que Michael Seton ait fait un testament avant de commencer son périple aérien autour du monde, et qu'il ait légué tout ce qu'il possédait à sa fiancée ?

— Ce n'est qu'une supposition.

— C'est exact, mais c'est sûrement la vérité. Sinon, rien de tout ce qui s'est passé n'aurait de sens. Nous ne nous occupons pas d'un héritage de trois sous, mon bon. Une fortune considérable est en jeu.

Je méditai un instant sur cette hypothèse. Je trouvais les conclusions de Poirot un peu précipitées et pourtant, dans mon for intérieur, quelque chose me disait qu'il avait raison. Il avait un tel flair pour découvrir la vérité que j'inclinais toujours à le croire. Néanmoins, il me semblait qu'il restait encore pas mal de preuves à établir.

— Mais personne n'était au courant de leurs fiançailles, objectai-je.

— Pfuitt ! Quelqu'un savait. Dans ces cas-là, il y a
toujours une personne qui sait. Ou alors, qui devine.
Mrs Rice avait des soupçons, Nick elle-même l'a
admis. Elle avait probablement trouvé le moyen de
changer ses soupçons en certitude.

— Comment ?

— D'abord, Michael Seton a dû écrire régulièrement à miss Nick. Ils sont tout de même fiancés
depuis un certain temps. Et quand on est la
meilleure amie de Nick, on sait qu'elle vit dans un
désordre épouvantable... et qu'elle laisse traîner ses
affaires n'importe où. Je me demande si elle a
jamais mis quoi que ce soit sous clé. Ça oui, avec
elle, ce n'est pas très difficile de vérifier ce dont on
n'est pas sûr.

— Frederica Rice aurait eu connaissance du testament rédigé par son amie ?

— Sans aucun doute. Nous touchons au but,
maintenant. Vous vous souvenez de ma petite liste
qui allait de *a* à *j*. Elle se réduit désormais à deux
personnes. Je laisse tomber les domestiques. Le
capitaine Challenger aussi, bien qu'il ait mis une
heure et demie à venir de Plymouth... qui ne se
trouve qu'à cinquante kilomètres. J'écarte même ce
Mr Lazarus au long nez qui a offert cinquante livres
pour un tableau qui n'en valait que vingt — chose
étrange quand on y pense, surtout étant donné ses
origines. J'abandonne enfin les deux Australiens —
si affables et chaleureux. Il n'en reste plus que deux.

— L'un est Frederica Rice, dis-je lentement.

Je revis son visage pâle, ses cheveux dorés, ses
traits délicats.

— Oui. Elle semble la coupable toute désignée.
Même si miss Buckley a rédigé son testament à la
va-vite, elle l'a néanmoins clairement désignée
comme sa légataire universelle. La Maison du Péril

mise à part, tout doit lui revenir. Si Nick avait été tuée la nuit dernière à la place de sa cousine, Mrs Rice serait aujourd'hui une femme riche.

— J'ai de la peine à vous croire !

— Vous avez du mal à croire qu'une femme ravissante puisse être une meurtrière ? Les membres d'un jury se heurtent parfois au même problème que vous. Mais vous avez raison, qui sait ? Il reste un autre suspect.

— Lequel ?

— Charles Vyse.

— Il n'hérite que de la propriété.

— Oui, mais il l'ignore peut-être. A-t-il établi le testament de Nick ? Je ne le pense pas. S'il l'avait rédigé, c'est lui qui le détiendrait et il ne « traînerait pas quelque part » selon les propres paroles de la jeune fille. C'est pourquoi, Hastings, il y a de fortes chances pour qu'il en ignore la teneur. Il est peut-être même persuadé qu'elle n'a jamais eu l'idée de rédiger ses dernières volontés, et il peut donc croire qu'il hérite en tant que parent le plus proche.

— Cette seconde hypothèse me semble beaucoup plus vraisemblable, approuvai-je.

— Voilà encore votre esprit romanesque, Hastings. Le cliché de l'avocat véreux. Et si, de surcroît, son visage impassible vous est antipathique, vous êtes alors convaincu de sa culpabilité. C'est vrai que dans une certaine mesure, il ferait mieux l'affaire que Mrs Rice. Il est mieux placé pour connaître l'existence du revolver, et il devrait mieux savoir s'en servir.

— Et il est plus à même de précipiter un rocher du haut d'une falaise.

— Bien sûr. Pourtant, comme je vous l'ai dit, il suffisait de faire levier. En revanche, le rocher, qui n'a pas été déplacé au bon moment, a manqué miss Nick, et cette erreur d'appréciation relèverait plutôt d'un esprit féminin. Trafiquer les entrailles d'une voiture semble plutôt du ressort d'un homme, encore que, de nos jours, bien des femmes s'y connaissent autant que les hommes en mécanique. Il y a néanmoins une ou deux incohérences dans l'hypothèse selon laquelle Charles Vyse serait le coupable.

— Ah ?

— Il avait beaucoup moins de chances que Frederica Rice d'être au courant des fiançailles. Autre détail : son action aurait été un peu précipitée.

— Que voulez-vous dire ?

— Jusqu'à hier soir, la mort de Seton n'était pas une certitude. Et sans cette certitude, tuer Nick était une imprudence qui ne me semble pas compatible avec la mentalité d'un homme de loi.

— Alors qu'une femme serait plus prompte à passer à l'action.

— Exactement. « Ce que femme veut, Dieu le veut », dit le proverbe.

— La façon dont Nick s'en est tirée est incroyable. C'est presque miraculeux.

Je me souvins tout à coup de la remarque de Frederica : « Décidément, Nick est née sous une bonne étoile ! » Et un frisson me parcourut.

— Tout à fait exact, dit Poirot pensivement. Et je n'y suis pour rien, ce qui est vexant.

— La providence, murmurai-je.

— Ah, mon bon ami ! Ne rendez pas le bon Dieu responsable des mauvaises actions des hommes. Vous le louez comme si vous étiez à l'office du dimanche, sans comprendre que cela implique que c'est le même bon Dieu qui a tué Maggie Buckley !

— Poirot, voyons !

— Mais oui, mon bon ami ! Eh bien moi, je refuse de rester assis en disant : ce brave bon Dieu s'occupe de tout, laissons-Le faire. Et je suis convaincu qu'Il a créé Hercule Poirot pour qu'il se mêle de ces affaires ! C'est mon métier, voyez-vous.

Nous avions emprunté le chemin en zig-zag qui grimpait vers la falaise et nous franchîmes la petite porte qui conduisait à la Maison du Péril.

— Ouf ! souffla Poirot, ce que ça monte ! Je suis en nage ! Ma moustache en est toute ramollie... Comme je vous le disais, moi, je prends le parti de l'innocent. Je défends miss Nick parce qu'elle a été attaquée, je veux venger miss Maggie parce qu'elle a été tuée.

— Et vous êtes contre Frederica Rice et Charles Vyse.

— Non, Hastings, non. Je reste impartial. J'ai simplement dit que tous deux sont suspects. Chut !

À l'autre extrémité de la pelouse, un homme tondait le gazon. Long visage inexpressif, un regard amorphe, il ne semblait pas avoir inventé la poudre. Un garçon âgé d'une dizaine d'années se tenait à côté de lui — laid, certes, mais qui semblait nettement plus éveillé.

Il me vint à l'esprit que nous n'avions pas entendu le bruit de la tondeuse et j'en déduisis que le jardinier ne devait pas s'épuiser au travail. Il était probablement en train de se reposer et, en nous entendant arriver, il s'était précipité sur son engin.

— Bonjour ! lui cria Poirot.

— Bonjour, monsieur.

— Vous devez être le jardinier. Le mari de Mrs Ellen qui travaille ici ?

— C'est mon papa, dit le petit garçon.

— Oui, monsieur, ajouta l'homme. Et vous, vous êtes ce monsieur étranger ? Et vous êtes détective ? Vous avez des nouvelles de notre jeune maîtresse, monsieur ?

— Nous venons de la voir à l'instant. Elle a passé une bonne nuit.

— Les policiers sont venus, intervint le petit garçon. Parce que c'est ici que la dame a été tuée. Là, près des marches. Moi, j'ai déjà vu tuer un cochon, hein, papa ?

— M'ouais, fit son père sans s'émouvoir.

— Papa tuait les cochons quand il travaillait à la ferme. Pas vrai, papa ? J'ai vu égorger un cochon. C'était chouette.

— Les enfants adorent regarder quand on tue le cochon, expliqua son père comme s'il énonçait une vérité première.

— On l'a tuée avec un pistolet, la dame ! continua le gamin. À elle, on ne lui a pas coupé la gorge. Non !

Nous passâmes notre chemin à mon grand soulagement. Ce gosse me mettait mal à l'aise avec son goût du macabre.

Poirot pénétra dans le salon dont les fenêtres étaient restées ouvertes et sonna la domestique. Ellen arriva, dans une tenue noire impeccable. À notre vue, elle ne montra aucune surprise. Poirot lui expliqua que miss Buckley nous avait autorisés à effectuer des recherches dans la maison.

— Très bien, monsieur.

— La police en a-t-elle terminé ?

— Ils ont dit qu'ils avaient vu tout ce qu'ils désiraient voir, monsieur. Ils ont commencé à fouiller le jardin très tôt ce matin. Je ne sais pas s'ils ont trouvé quelque chose.

Elle allait quitter la pièce quand Poirot lui demanda :

— Avez-vous été surprise hier soir, quand vous avez su que miss Buckley avait été tuée ?

— Oui, monsieur, très surprise. Miss Maggie était une jeune demoiselle très gentille, monsieur. Je n'arrive pas à imaginer que quelqu'un ait pu lui vouloir du mal.

— Vous n'auriez pas été si étonnée s'il s'était agi de quelqu'un d'autre, n'est-ce pas ?

— Je ne comprends pas ce que vous voulez dire, monsieur.

— Quand nous nous sommes rencontrés hier soir dans le hall, vous m'avez tout de suite demandé si quelqu'un avait été blessé. Est-ce que vous vous attendiez à ce genre d'accident ?

Elle resta muette, à tripoter un coin de son tablier. Puis elle secoua la tête et murmura :

— Ces messieurs ne comprendraient pas.

— Mais si, l'encouragea Poirot, nous comprendrons. Même si ce que vous me dites paraît incroyable.

Elle le regarda d'un air dubitatif, puis parut se décider à lui faire confiance :

— Vous voyez, il y a quelque chose de mauvais dans cette maison.

Cette remarque m'étonna et je décidai de la prendre de haut, mais Poirot sembla la trouver tout à fait normale.

— Vous voulez dire que c'est une vieille maison.

— C'est cela, monsieur, et malsaine !

— Vous êtes employée ici depuis longtemps ?

— Six ans. Mais j'ai aussi travaillé ici dans ma jeunesse. J'aidais aux cuisines. À l'époque du vieux sir Nicholas. Et c'était déjà la même chose.

Poirot la regardait attentivement :

— Sur ces vieilles maisons pèse parfois comme une malédiction, observa-t-il.

— Oui, monsieur, c'est le mot. Une malédiction, approuva Ellen non sans exaltation. Le mal rôde, tout comme les mauvaises pensées et les mauvaises actions. C'est comme la moisissure dans les maisons, ça ne part pas. Ça flotte comme une odeur. On la sent et j'ai toujours su qu'un jour il y aurait un drame ici.

— Vous aviez raison.

— Oui, monsieur.

On percevait une très légère satisfaction dans sa voix. La satisfaction de ceux dont les prédictions catastrophiques se sont vérifiées.

— Mais vous ne songiez pas à miss Maggie.

— Non, pas du tout, monsieur. Personne ne la haïssait, elle, j'en suis certaine.

Il me sembla que ces paroles recelaient un indice et je m'attendais à ce que Poirot saisisse la balle au bond, mais à mon étonnement il détourna la conversation.

— Vous n'avez pas entendu les coups de feu, hier soir ?

— C'était impossible avec le feu d'artifice. Ça en faisait du bruit !

— Vous n'êtes pas sortie pour le regarder ?

— Non, je n'avais pas fini de débarrasser.

— L'extra vous a donné un coup de main ?

— Non, monsieur, il regardait les fusées dans le jardin.

— Et vous, non ?

— Non, monsieur.

— Pourquoi ?

— Je voulais terminer mon travail.

— Vous n'aimez pas les feux d'artifice ?

— Oh si ! Mais il y en a deux soirs de suite. William et moi, nous avons notre soirée libre demain et nous devions descendre en ville pour le voir de plus près.

— Je comprends. Avez-vous entendu miss Maggie chercher en vain son manteau ?

— Miss Nick a grimpé les escaliers en courant, et dans l'entrée miss Buckley l'a appelée pour lui dire qu'elle ne trouvait pas quelque chose. Je l'ai entendue dire : « Tant pis, je prends le châle. »

Poirot l'interrompit :

— Excusez-moi. Vous n'avez pas proposé de chercher le manteau à sa place ou de le récupérer dans la voiture où elle l'avait oublié ?

— J'avais mon travail, monsieur.

— Bien sûr, d'ailleurs aucune des deux jeunes filles n'a dû vous appeler, puisqu'elles étaient persuadées que vous étiez dehors en train de regarder le feu d'artifice ?

— Oui, monsieur.

— Cela veut-il dire que les années précédentes, vous le regardiez ?

Le rouge lui monta soudain aux joues.

— Je ne vois pas ce que vous voulez dire, monsieur. Nous avons toujours eu la permission de sortir dans le jardin. Cela ne regarde que moi si cette fois-ci je n'en ai pas eu envie. Je n'avais qu'une hâte, finir mon travail et aller me coucher.

— Mais oui, mais oui. Je n'avais pas l'intention de vous offenser. Chacun est libre de faire ce qui lui plaît. Il faut savoir changer ses habitudes.

Poirot se tut un instant, puis il ajouta :

— J'aurais besoin d'un autre petit renseignement. Avez-vous déjà entendu parler d'une cachette secrète dans cette vieille maison ?

— Ma foi, je sais qu'il existe un panneau coulissant... peut-être dans cette pièce. On me l'avait montré dans ma jeunesse. Mais je ne sais plus très bien où il est : ici ou dans la bibliothèque ?

— Assez grand pour qu'une personne s'y cache ?

— Oh non, monsieur ! Pas du tout ! C'est plutôt une espèce de placard. Trente centimètres de large, pas plus grand que ça !

— Ah ! ça n'est pas du tout ce dont je parlais.

Le visage de la domestique s'empourpra à nouveau :

— Vous êtes en train d'insinuer que je me cachais ? Non, je ne me cachais pas ! J'ai entendu miss Nick dégringoler les escaliers et sortir. Et puis elle a crié. C'est à ce moment-là que je suis venue, dans le hall pour voir ce qui se passait. Je vous le jure sur les Evangiles, monsieur. C'est la vérité vraie !

13

LES LETTRES

Après avoir eu toutes les peines du monde à se débarrasser d'Ellen, Poirot se tourna vers moi l'air songeur.

— Je me demande si on peut ajouter foi à ce qu'elle raconte. En fait, elle a dû ouvrir la porte de la cuisine après avoir entendu les coups de feu. Quand Nick a dévalé les escaliers et s'est précipitée dehors en courant, elle est allée dans l'entrée pour essayer de savoir ce qui s'était passé. C'est bien naturel. Mais je me demande quand même pourquoi elle n'est pas sortie regarder le feu d'artifice précisément ce soir-là ? J'aimerais comprendre.

— Qu'aviez-vous derrière la tête avec cette histoire de cachette secrète ?

— Avec cette hypothèse, j'espérais pouvoir faire l'économie de j.

— De j ?

— Oui, la dernière personne sur ma liste. Cet étranger problématique. Imaginez, mon tout bon, que, pour une raison quelconque mais en rapport étroit avec Ellen, notre fameux j soit venu hier soir à la Maison du Péril. Il se dissimule — supposons que ce soit un homme — ici, où existe une cachette. Une jeune fille traverse la pièce et il la prend pour Nick. Il la suit et lui tire dessus. Non, c'est idiot ! En plus, nous sommes sûrs qu'il n'existe aucun moyen de se cacher ici. Qu'Ellen soit restée dans sa cuisine au lieu d'aller jouer les badauds devant le feu d'artifice n'est qu'un hasard. Lançons-nous plutôt à la recherche du testament de miss Nick.

N'ayant rien trouvé dans le salon, nous passâmes dans la bibliothèque. C'était une pièce assez sombre où trônait un grand bureau ancien en noyer. Il y régnait un désordre indescriptible et il nous fallut du temps pour en venir à bout ; les reçus et les factures étaient mélangés avec les cartons d'invitation, les lettres de relance et diverses correspondances.

— Commençons par mettre de l'ordre dans tout cela, décida Poirot d'un air sévère.

Sitôt dit sitôt fait, et une demi-heure plus tard il s'assit, non sans afficher sa satisfaction. Tout avait été trié avec soin, étiqueté, classé.

— Très bien. Cette corvée a eu au moins cet avantage : nous avons dû tout regarder si attentivement que rien n'a pu nous échapper.

— En effet. Et il n'y avait pas grand-chose d'intéressant.

— Sauf ça, à la rigueur.

Il me tendit une lettre. J'eus du mal à déchiffrer la grande écriture penchée.

Chérie.
Cette soirée était fa-bu-leu-se. Aujourd'hui, je me sens moulue. Tu as eu raison de ne pas toucher à ce truc, ma chérie. Ne t'avise jamais de commencer — c'est vraiment trop difficile de s'arrêter. J'écris à notre ami pour qu'il se dépêche de m'approvisionner. Quel enfer que la vie ! Baisers.

Freddie

— C'est daté de février dernier, constata Poirot, songeur. Elle se drogue, je l'ai su dès que je l'ai vue.

— Allons bon ? Je ne me serais jamais douté d'une chose pareille.

— Pourtant, c'est l'évidence. Il suffit de regarder ses yeux et ses étranges variations d'humeur. Elle est parfois tendue à se rompre, et à d'autres moments, elle paraît sans vie, inerte.

— Quand on se drogue, on perd un peu son sens moral, non ?

— C'est inévitable. Mais je ne pense pas que Mrs Rice soit déjà très accrochée. À mon avis, elle ne se drogue que depuis peu de temps.

— Et Nick ?

— Je ne crois pas. Elle a peut-être été à une ou deux de ces soirées pour s'amuser, mais elle ne se drogue pas.

— Tant mieux.

Tout à coup, je me souvins de ce que Nick nous avait dit au sujet de Frederica : elle n'était pas toujours dans son état normal. Poirot acquiesça et replia la lettre.

— C'est sûrement ce qu'elle voulait dire. Bon, nous avons fait chou blanc, comme on dit chez nous. Allons voir dans la chambre de miss Nick.

Il y avait un autre bureau dans sa chambre, mais il ne contenait pas grand-chose. Là encore, aucune trace de testament. Nous tombâmes sur les papiers de sa voiture, et sur un récépissé de mandat en bonne et due forme qui datait du mois dernier. Rien d'autre.

Poirot eut un soupir excédé.

— On ne sait plus éduquer les jeunes filles de nos jours. On oublie de leur apprendre l'ordre et la méthode. Miss Buckley est charmante, mais c'est une écervelée. Une vraie tête de linotte !

Il était en train de fouiller dans le tiroir d'une commode.

— Poirot, lui fis-je remarquer gêné, c'est de la lingerie.

Surpris, il s'arrêta :

— Et alors, mon bon ami ?

— Vous ne croyez pas ? Enfin... pouvons-nous...

Il partit d'un grand éclat de rire.

— Décidément, mon pauvre Hastings, vous appartenez à l'époque victorienne. C'est ce que vous dirait miss Nick si elle était là. Ou alors elle vous sortirait que vous avez l'esprit mal tourné ! Aujourd'hui les jeunes femmes n'ont plus honte de montrer leurs dessous. Parler chemises ou petites culottes n'offense plus leur pudeur ! Vous les voyez, sur la plage, ôter leurs vêtements à quelques pas de vous ! Et après tout, pourquoi pas ?

— Je ne discerne pas pour autant l'utilité de fouiller ce tiroir.

— Écoutez, mon bon ami. De toute évidence, miss Nick ne boucle pas ses trésors sous clé. Si elle avait voulu dissimuler un objet aux regards indiscrets, où l'aurait-elle mis ? Sous ses bas et ses jupons ! Ah ! qu'est-ce que c'est que ça ?

Il sortit un paquet de lettres entouré d'un ruban rose pâle.

— Les lettres d'amour de Mr Michael Seton, si je ne m'abuse.

Très calme, il dénoua le ruban et commença à déplier les feuillets.

— Poirot ! m'insurgeai-je scandalisé. Vous ne pouvez quand même pas vous livrer à ce genre de... Ça n'est pas de jeu.

— Mais je ne joue pas, mon bon ami. (Sa voix résonna soudain dure et grave.) Je traque un assassin.

— D'accord, mais cette correspondance intime...

— ... ne m'apprendra peut-être rien — ou m'apprendra beaucoup, au contraire. Je dois saisir toutes les occasions qui se présentent, mon bon ami. Allons, venez, et lisons-les ensemble. Au point où nous en sommes, deux paires d'yeux ne sont pas plus coupables qu'une seule. Et consolez-vous en pensant que cette brave Ellen connaît sans doute toutes ces lettres par cœur.

Cela ne me plaisait pas du tout, mais je comprenais bien que, dans l'exercice de son art, Poirot ne pouvait se permettre de faire le délicat. J'achevai de me réconforter en me rappelant les dernières paroles de Nick : « Vous pouvez fouiller partout. » Les lettres s'échelonnaient sur plusieurs mois et la première remontait à l'hiver précédent.

1ᵉʳ janvier
Chérie.
C'est la nouvelle année et je prends de bonnes résolutions. Vous dites que vous m'aimez... C'est trop beau pour être vrai. Ma vie en est transformée. Je crois que nous l'avons su tous les deux... dès le premier instant. Bonne année, mon amour.
À vous pour toujours,

Michael

8 février
Mon tendre amour,
Comme j'aimerais vous voir plus souvent. Fichue situation, n'est-ce pas ? Je hais ces cachotteries sordides, mais je vous ai tout expliqué. Je sais que vous détestez comme moi les mensonges et la dissimulation. Mais nous risquerions de tout faire rater. L'oncle Matthew a une idée fixe : un garçon qui se marie trop jeune ruine définitivement sa carrière. Comme si vous pouviez ruiner la mienne, mon cher ange !
Courage, chérie. Tout va s'arranger.

Votre Michael

2 mars
Je ne devrais pas vous écrire deux jours de suite, je le sais mais je ne peux m'en empêcher. Hier, je pensais

*à vous car j'ai survolé Scarborough. Béni, béni soit
Scarborough, l'endroit le plus merveilleux au monde.
Chérie, vous ne pouvez pas savoir à quel point je vous
aime !*

Votre Michael

*18 avril
Chérie,
J'ai pris une grande résolution. C'est décidé. Si je
réussis (et je réussirai !) je tiendrai tête à oncle Matthew, et si ça ne lui plaît pas, eh bien tant pis ! Vous
êtes vraiment adorable de vous intéresser à mes lon-
gues descriptions techniques de l'Albatros. J'ai hâte de
vous emmener avec moi. Un jour ! Surtout, pour
l'amour du ciel, ne vous inquiétez pas ! Toute cette
aventure n'est pas aussi dangereuse qu'on le dit. De
toutes les manières, je ne peux pas mourir, maintenant que je sais que vous m'aimez. Tout va bien se
passer, mon cœur. Faites confiance à*

Votre Michael

*20 avril
Mon ange,
Chacun des mots de votre lettre est vrai et je la
garderai toujours sur moi comme un trésor. Je ne
vous arrive pas à la cheville. Vous êtes unique. Je vous
adore.*

Votre Michael

La dernière lettre n'était pas datée.

*Mon amour,
Je pars demain. Je me sens en pleine forme et je suis
sûr de réussir. Ce bon vieil Albatros est réglé au millimètre près. Il ne me lâchera pas.
Courage, mon cœur, et ne vous faites pas de souci.
Il y a des risques, bien sûr, mais la vie elle-même est
un vaste pari. Au fait, quelqu'un m'a dit qu'il fallait
que je fasse un testament (un ami dépourvu de tact*

mais plein de bonnes intentions). Je l'ai rédigé sur une feuille de brouillon et je l'ai envoyé à ce vieux Whit-field. Je n'avais pas le temps d'aller jusqu'à son étude. Un jour on m'a raconté qu'un homme avait fait un testament qui se réduisait à trois mots : « Tout à maman », et c'était parfaitement légal. Le mien ressemble un peu à cela, je me suis souvenu que votre vrai nom était Magdala, heureusement ! Deux camarades m'ont servi de témoins.

Mon cœur, ne prenez pas trop à cœur ce discours solennel sur les testaments ! Tout va se passer comme sur des roulettes. Je vous enverrai des télégrammes des Indes et d'Australie et tout au long de ma route... Haut les cœurs. Tout va marcher. D'accord ?

Bonne nuit et que Dieu vous bénisse.

Michael

Poirot refit le paquet :

— Alors, Hastings ? Il fallait bien que je les lise, pour dissiper mes doutes. C'est ce que je vous avais dit.

— Il existait sûrement un autre moyen ?

— Non, mon cher, il m'était impossible de faire autrement. Il fallait en passer par là. Nous avons désormais la preuve écrite que Michael avait fait un testament en faveur de miss Nick. Quiconque a lu ces lettres le sait aussi. Et vu le désordre qui règne ici, n'importe qui a pu les lire.

— Ellen ?

— Je suis prêt à l'affirmer. Nous allons la soumettre à une petite expérience avant de partir.

— Pas de trace du testament.

— Non, c'est curieux. Il y a de fortes chances pour qu'il se trouve en haut d'une étagère ou à l'intérieur d'une potiche. Il va falloir essayer de rafraîchir la mémoire de miss Buckley. Dans tous les cas, je crois que nous avons fait le tour de ce qu'il y avait à voir ici.

Ellen époussetait dans l'entrée.

Poirot la salua poliment au passage. Avant de franchir le seuil, il lui demanda :

— Vous saviez sans doute que miss Buckley était fiancée à Michael Seton, l'aviateur ?

Elle le regarda avec stupéfaction.

— Comment ? Celui dont on fait tant de bruit dans tous les journaux ?

— Oui.

— Mais non ! Ça alors, si je m'en doutais ! Ce type fiancé à miss Nick... ça par exemple !

— Surprise totale et absolue, et très convaincante par-dessus le marché, fis-je remarquer en sortant.

— Oui, elle avait vraiment l'air sincère.

— Elle l'était peut-être, suggérai-je.

— Avec ce paquet de lettres caché depuis des mois sous la lingerie ? Non, mon bon ami.

Tout ça est bel et bon, pensai-je en mon for intérieur. Seulement tout un chacun ne s'appelle pas Hercule Poirot et ne se croit pas obligé de fourrer son nez partout.

Mais je ne pipai mot.

— Cette Ellen, c'est une énigme, murmura Poirot. Il y a un point que je ne comprends pas. Et cette seule idée ne me plaît pas du tout. Mais alors pas du tout.

14

MYSTÉRIEUSE DISPARITION DU TESTAMENT

Nous retournâmes immédiatement à la clinique.

Nick sembla surprise de nous revoir.

— Eh oui, mademoiselle, plaisanta Poirot devant son regard étonné, je ressurgis comme un diable hors de sa boîte ! Il faut d'abord que je vous prévienne que j'ai remis de l'ordre dans vos affaires. Tout est bien rangé à présent.

— J'imagine qu'il était temps, remarqua Nick sans pouvoir réprimer un sourire. Vous êtes très méticuleux, monsieur Poirot ?

— Demandez donc à mon ami Hastings.

Elle se tourna vers moi, l'air interrogateur.

Je lui brossai un tableau succinct des mille et une petites manies de Poirot — depuis le toast matinal coupé dans une miche rigoureusement carrée, en passant par les œufs coque de taille identique et, jusqu'à son aversion pour le golf — jeu, selon lui, de pur hasard, dépourvu de règles et racheté seulement par ces ingénieux petits casiers où les joueurs maniaques peuvent ranger leurs *tees*. Pour finir, je lui racontai la célèbre affaire que Poirot avait résolue uniquement grâce à sa manie de remettre en place les bibelots sur les cheminées.

— La description est un peu exagérée, dit Poirot

en souriant une fois que j'en eus terminé. Mais dans l'ensemble, c'est exact. Imaginez-vous, mademoiselle, que j'essaie de convaincre Hastings depuis des années de se faire la raie au milieu. Vous ne trouvez pas que la raie sur le côté lui donne un air asymétrique, pour ne pas dire de guingois ?

— Alors je ne dois pas vous plaire, monsieur Poirot, dit Nick. Je porte la raie sur le côté. En revanche, vous devez adorer Freddie qui se la fait toujours au milieu.

— Il était effectivement sous le charme, l'autre soir, glissai-je avec malice. Et maintenant, je sais pourquoi.

— Assez bavardé, gronda soudain Poirot. Mademoiselle, je suis ici pour des affaires sérieuses. Votre testament est introuvable.

— Bah ! quelle importance ? répondit-elle en fronçant les sourcils. Après tout, je suis toujours vivante. Les testaments n'ont d'intérêt que lorsque l'on est mort.

— C'est exact. Je voudrais néanmoins voir le vôtre. J'ai ma petite idée à ce sujet. Réfléchissez, mademoiselle. Et essayez de vous souvenir où vous l'avez mis. Où l'avez-vous vu pour la dernière fois ?

— Je ne pense pas l'avoir mis dans un endroit particulier. Je ne range jamais rien. J'ai dû le glisser dans un tiroir.

— Vous ne l'auriez pas dissimulé derrière le panneau coulissant, par hasard ?

— Derrière le *quoi* ?

— Ellen, votre domestique, nous a parlé d'un panneau secret dans la salle à manger ou dans la bibliothèque.

— Quelle ânerie ! Je n'ai jamais été au courant de cette histoire. C'est Ellen qui prétend cela ?

— Mais oui. D'après ce qu'elle raconte, la cuisinière le lui aurait montré quand elle travaillait à la Maison du Péril dans sa jeunesse.

— C'est la première fois que j'en entends parler. Si c'était vrai, grand-père devait en connaître l'existence. Mais dans ce cas, je suis sûre qu'il m'en aurait fait profiter. Monsieur Poirot, vous ne croyez pas que ce sont des inventions d'Ellen ?

— Je suis dans le flou complet, mademoiselle ! Cette Ellen a quelque chose de bizarre.

— Oh ! Je ne dirais pas ça d'elle. William est un demeuré et le gamin une petite brute malfaisante, mais Ellen est une femme bien. C'est la respectabilité incarnée.

— Vous lui aviez donné la permission de sortir pour regarder le feu d'artifice, la nuit dernière ?

— Bien sûr. Ils y assistent toujours, et ils débarrassent la table plus tard.

— Pourtant elle n'est pas sortie.

— Mais si !

— Comment le savez-vous ?

— Eh bien... en fait, je n'en sais rien. Je lui ai donné la permission et elle m'a remerciée. C'est pourquoi j'ai supposé qu'elle était sortie.

— Au contraire, elle est restée dans la maison.

— Tiens, comme c'est bizarre !

— Vous trouvez ça bizarre ?

— Mais oui. C'est la première fois. Vous a-t-elle expliqué pourquoi ?

— Non. Ou du moins elle ne m'a pas donné la véritable raison, ça, j'en suis sûr.

Nick lui jeta un regard interrogateur :

— C'est important ?

Poirot écarta les bras en signe d'ignorance.

— C'est ce que je me demande, mademoiselle. Restons-en là pour le moment. Mais c'est curieux.

— Cette histoire de panneau coulissant aussi, reprit Nick songeuse. Je ne peux m'empêcher de trouver cela terriblement tiré par les cheveux... et aussi peu convaincant que possible. Vous a-t-elle montré l'endroit ?

— Pour moi, ce panneau n'existe que dans son imagination.

— Ça en a tout l'air.

— Elle a perdu la boule, la malheureuse.

— Elle raconte probablement des histoires. Elle prétend aussi que la Maison du Péril est maléfique.

Nick frissonna.

— Là, elle a peut-être raison, murmura-t-elle. Je pense parfois la même chose. L'ambiance de cette maison a quelque chose de...

Ses yeux s'agrandirent et son visage s'assombrit. Devant son air tragique, Poirot se dépêcha de changer de sujet de conversation.

— Nous nous écartons de notre propos, mademoiselle. Revenons à votre testament. Où est ce fameux « Je soussigné Magdala Buckley, saine de corps et d'esprit... » ?

— C'est ce que j'ai écrit, dit Nick non sans fierté. Je m'en souviens, et j'ai demandé que l'on paie toutes mes dettes et les frais de succession. J'avais lu cela dans un livre.

— Vous n'avez donc pas utilisé un formulaire spécial ?

— Non, je n'en avais plus le temps. Je partais pour la clinique et en plus, selon Mr Croft, ces formulaires contiennent des clauses dangereuses. D'après lui, il valait mieux rédiger un testament en termes très simples et ne pas tomber dans le jargon juridique.

— Mr Croft était présent ?

— Oui. C'est lui qui m'a demandé si j'avais pensé à en faire un. Je n'aurais jamais eu l'idée toute seule. Il m'avait dit que si je mourais in... in...

Je vins à son secours :

— Intestat.

— Oui, c'est cela. Que si je décédais intestat, la Couronne se servait au passage et que c'était vraiment trop bête.

— Cet excellent Mr Croft est bien serviable !

— Oh oui ! approuva Nick, sincère, il a appelé Ellen et son mari pour qu'ils servent de témoins. Oh ! Mais bien sûr, ce que je peux être bête !

Nous attendions la suite avec impatience.

— J'ai été idiote de vous faire chercher dans toute la maison. C'est Charles qui a le testament, évidemment ! Mon cousin, Charles Vyse.

— Voici donc l'explication.

— Selon Mr Croft, il fallait le confier à un homme de loi.

— Très correct, ce bon Mr Croft.

— Les hommes sont parfois de bon conseil, approuva Nick. Il m'avait suggéré un avocat ou une banque. J'ai pensé que Charles était le mieux placé. Nous avons mis le document sous enveloppe et le lui avons immédiatement adressé.

Elle s'adossa à son oreiller avec un soupir.

— Suis-je sotte ! Tout s'arrange à présent. Charles a le testament et, si vous voulez toujours le voir, il vous le montrera volontiers.

— Il nous faut une autorisation de votre part, dit Poirot en souriant.

— C'est stupide !

— Mais non, mademoiselle, simplement prudent.

— Eh bien, moi, je trouve cela absurde. (Elle prit une feuille de papier d'un bloc sur sa table de chevet.) Que dois-je écrire ? Que je lâche mes limiers ?

— Comment ?

J'éclatai de rire devant la mine décontenancée de mon ami.

Il dicta à Nick une formule qu'elle transcrivit docilement.

— Merci, chère petite mademoiselle, dit Poirot en s'en saisissant.

— Je suis désolée de vous avoir causé tout ce tracas mais je suis tellement étourdie. J'oublie tout au fur et à mesure.

— Avec un esprit ordonné et méthodique, on n'oublie jamais rien.

— Il faudra que je prenne des leçons. Parce que je sens qu'à cause de vous, je vais faire un complexe d'infériorité.

— Mais non, voyons. Au revoir, mademoiselle. Ces fleurs sont ravissantes, ajouta Poirot.

— N'est-ce pas ? Freddie m'a envoyé les œillets, George les roses et les lys viennent de Jim Lazarus. Et regardez...

Elle montra une corbeille de raisins de serre qui se trouvait à côté de son lit.

Poirot changea de visage et fit un pas en avant.

— En avez-vous mangé ?

— Non, pas encore.

— N'y touchez pas ! Ne mangez rien qui vienne de l'extérieur. Rien. Vous m'avez bien compris ?

— Oh !

Elle le dévisagea, soudain toute pâle.

— Je vois. Vous pensez que ça n'est pas encore fini. Vous croyez qu'ils vont essayer à nouveau ? chuchota-t-elle.

Il lui prit la main.

— N'y pensez pas. Ici, vous êtes en sécurité. Mais souvenez-vous de ma recommandation.

En quittant la pièce, je notai la pâleur du petit visage décomposé sur l'oreiller. Poirot regarda sa montre.

— Bon. Nous avons juste le temps d'attraper Charles Vyse à son cabinet avant qu'il ne sorte pour déjeuner.

Dès notre arrivée, l'avocat nous reçut dans son bureau sans nous faire attendre. Il se leva pour nous accueillir, plus conventionnel et impassible que jamais.

— Bonjour, monsieur Poirot. Que puis-je faire pour vous ?

Sans autre préambule, Poirot lui tendit le petit

mot de Nick. Après en avoir pris connaissance, Charles Vyse nous regarda d'un air perplexe.

— Je vous demande pardon, mais je n'y comprends rien.

— Le mot de miss Buckley n'est-il pas suffisamment explicite ?

— Dans cette lettre, Nick me prie de vous remettre un testament qu'elle aurait rédigé et confié à ma garde en février dernier.

— Oui, monsieur.

— Mais, cher monsieur, aucun document de ce genre ne m'a été confié !

— Comment ?

— À ma connaissance, jamais ma cousine n'a fait de testament. En tout cas, moi, je ne me suis jamais occupé de cela pour elle.

— Elle l'a rédigé elle-même sur une feuille de papier et vous l'a posté.

L'avocat secoua la tête.

— Dans ce cas, je puis vous affirmer que je ne l'ai jamais reçu.

— Vraiment, Mr Vyse...

— Je n'ai rien reçu de tel, monsieur Poirot.

Il y eut un silence, puis le détective se leva.

— Eh bien, Mr Vyse, je ne vois rien à ajouter. Il doit y avoir une erreur.

— Certainement, fit-il en se levant à son tour.

— Au revoir, Mr Vyse.

— Au revoir, monsieur Poirot.

— C'est sans discussion ! fis-je remarquer une fois que nous fûmes dehors.

— Précisément.

— À votre avis, il ment ?

— Impossible à dire. Ce Mr Vyse a avalé non seulement son parapluie, mais en plus, on dirait qu'il y a une baleine qui lui est restée coincée dans le gosier. Il n'est pas bavard ! Une chose est claire, il ne reviendra jamais sur sa déclaration. Il n'a jamais reçu de testament. Il n'en démordra pas.

— Nick a certainement un récépissé de la poste.

— Cette petite n'a pas dû s'en soucier. Elle a envoyé la lettre et puis c'est sorti de son esprit. Voilà tout. En outre, elle rentrait le jour même dans une clinique pour se faire opérer de l'appendicite et elle devait avoir d'autres sujets de préoccupation.

— Alors que faisons-nous à présent ?

— Parbleu, nous filons chez Mr Croft. Voyons ce dont il se souvient. Il a été la cheville ouvrière de toute cette affaire, après tout.

— On ne peut pas dire que cela lui ait rapporté grand-chose, dans tous les cas.

— Non, non. Je ne crois pas qu'il soit concerné d'une manière quelconque. Il s'est probablement contenté de faire la mouche du coche, c'est tout à fait le genre d'individu qui adore se mêler des histoires de son voisin.

Cette remarque me semblait particulièrement adaptée à Mr Croft. Un de ces braves monsieur-je-sais-tout qui finissent par exaspérer leur entourage.

Nous le trouvâmes dans sa cuisine en bras de chemise, affairé au-dessus d'une marmite fumante. Une odeur délicieuse flottait dans le pavillon.

Il délaissa sa cuisine avec enthousiasme. Visiblement, il mourait d'envie de parler du meurtre.

— Une seconde, dit-il. Allons là-haut rejoindre maman, elle ne voudra pas manquer cette occasion. Jamais elle ne me le pardonnera si nous bavardons ici. Ohé, Milly ! Je t'envoie deux amis !

Mrs Croft nous accueillit chaleureusement et s'empressa de demander des nouvelles de Nick. Je la trouvais beaucoup plus sympathique que son mari.

— Pauvre petite ! s'écria-t-elle. Elle est dans une maison de repos ? Ça ne m'étonne pas que ses nerfs aient lâché. C'est un drame affreux, monsieur Poirot, épouvantable. Tuer une pauvre innocente. J'en ai froid dans le dos rien que d'y penser ! Vraiment. Nous ne sommes pourtant pas chez les sauvages, mais ici, au cœur même de notre vieux pays ! Je n'ai pas fermé l'œil de la nuit.

— Maintenant j'ai peur de sortir et de te laisser toute seule, maman, renchérit son mari qui nous avait rejoints après avoir enfilé une veste. Quand je pense que je t'avais abandonnée hier soir, j'en ai des frissons.

— Cela ne se reproduira plus, je te le garantis, le prévint Mrs Croft. Du moins pas à la nuit tombée. Et j'ai bien envie de partir d'ici le plus tôt possible. Ça ne sera plus jamais la même chose. Ça m'étonnerait que cette pauvre Nick Buckley accepte Jamais de passer, ne serait-ce qu'une nuit, dans cette maison.

Il ne fut pas très facile d'orienter la conversation vers le sujet qui nous intéressait. Intarissables, ils voulaient connaître tous les détails. La famille de la pauvre jeune fille allait-elle venir ? Quand l'enterrement aurait-il lieu ? Allait-il y avoir une enquête ? Qu'en pensait la police ? Avaient-ils déjà des indices ? Était-il vrai que l'on avait arrêté un suspect à Plymouth ?

Une fois leur curiosité satisfaite, ils insistèrent pour nous garder à déjeuner. Heureusement, Poirot eut la bonne idée de prétendre que le chef de la police locale nous attendait pour déjeuner...

Profitant d'une minute de répit, Poirot réussit enfin à leur poser la question qui nous amenait.

— Mais oui, dit Mr Croft. (Il tirait distraitement sur le cordon du rideau en le regardant d'un air préoccupé.) Je m'en souviens très bien. Nous venions de nous installer. C'est bien ça, l'appendicite, c'est ce qu'avait dit le docteur...

— D'ailleurs ça n'était sûrement pas l'appendicite, l'interrompit sa femme. Les médecins adorent vous découper. Pour moi, ça ne nécessitait pas une opération. Elle avait dû avoir une indigestion ou quelque chose de ce genre. Ils lui ont fait une radio et lui ont dit qu'elle ferait mieux de se faire opérer. Et ils ont embarqué cette pauvre gosse dans un de leurs horribles hôpitaux.

— Je lui ai demandé si elle avait fait son testament. C'était plutôt pour plaisanter, ajouta Mr Croft.

— Et alors ?

— Elle l'a rédigé séance tenante. Au début, elle voulait aller chercher un formulaire à la poste, mais je le lui ai déconseillé. On m'avait raconté que cela pouvait causer beaucoup d'ennuis... De toutes les façons, son cousin est avocat. Il pouvait toujours lui en refaire un autre dans les règles, plus tard, si tout se passait bien, ce dont je ne doutais pas. C'était une simple précaution.

— Qui étaient les témoins ?

— Ellen, la bonne, et son mari.

— Et après, qu'en avez-vous fait ?

— Nous l'avons adressé par la poste à Vyse, l'homme de loi.

— Vous êtes certain qu'il est bien parti ?

— Cher monsieur Poirot, c'est moi qui l'ai mis dans la boîte ! Là-bas, à côté de la barrière.

— Donc, si Mr Vyse affirme qu'il ne l'a jamais reçu...

Croft le regarda, incrédule.

— Vous voulez dire qu'il se serait égaré ? Mais c'est impossible !

— Vous êtes certain de l'avoir posté ?

— Catégorique, renchérit Mr Croft. Vous avez ma parole.

— Bah ! fit Poirot. Heureusement cela n'a pas d'importance. Miss Nick ne mourra pas de sitôt.

— Et voilà ! me dit mon vieil ami quand nous nous retrouvâmes sur le chemin de l'hôtel à l'abri des oreilles indiscrètes. Lequel des deux ment ? Mr Croft ou Charles Vyse ? Je dois reconnaître que je ne vois pas pourquoi Mr Croft mentirait. Il n'avait aucun intérêt à supprimer le testament, d'autant plus que c'est lui qui en a été l'instigateur. Sa déclaration est cohérente et correspond à celle de Nick. Quoi qu'il en soit...

— Oui ?

— Je suis ravi d'avoir surpris Mr Croft alors qu'il faisait la cuisine, à notre arrivée. Il a laissé une magnifique empreinte graisseuse de son pouce et de son index sur le coin du journal qui recouvrait la table de la cuisine. J'ai réussi à en déchirer un bout sans me faire voir et je vais l'envoyer à notre bon ami, l'inspecteur Japp de Scotland Yard. Avec un peu de chance, il pourra nous apprendre quelque chose.

— Vous croyez ?

— Hastings, je ne peux pas m'empêcher de trouver que notre sympathique Mr Croft est un peu trop poli pour être honnête. Et maintenant, allons déjeuner. Je meurs de faim.

15

L'ÉTRANGE COMPORTEMENT DE FREDERICA

En fin de compte, les déclarations de Poirot à propos de notre déjeuner avec le chef de la police locale se révélèrent moins mensongères qu'elles n'en avaient l'air. Le colonel Weston vint en effet nous rendre visite juste après le repas.

Cet homme de haute stature, d'allure très militaire, ne manquait pas d'une certaine prestance. Il manifestait à l'égard de Poirot le respect qui lui était dû, et il semblait connaître tous ses exploits dans les moindres détails.

— Quelle chance de vous avoir parmi nous, monsieur Poirot, répétait-il sans cesse.

Sa seule hantise ? devoir faire appel à Scotland Yard. Il était bien déterminé à résoudre le mystère et à attraper le criminel sans leur aide. Il était donc comblé par la présence de Poirot dans le voisinage.

Si j'en juge par ce que je savais moi-même, Poirot lui fit un récit complet de toute l'histoire.

— Sale affaire, constata le colonel. Je n'ai jamais rien entendu de tel. La jeune fille devrait être en sécurité dans cette clinique. Mais on ne peut l'y garder ad vitam aeternam !

— C'est bien là le problème, colonel. Et il n'y a qu'une seule façon de le résoudre.

— Laquelle ?

— Mettre la main sur le coupable.

— Si vos soupçons se vérifient, cela ne va pas être facile.

— Hélas non !

— Il nous faut des preuves ! Nous allons avoir un mal fou à les réunir. (Il fronça les sourcils d'un air préoccupé.) Ces affaires où on ne peut procéder à aucune enquête de routine sont toujours compliquées. Si nous pouvions mettre la main sur le revolver...

— Il y a de grandes chances pour qu'il repose au fond de la mer. Si le meurtrier n'est pas complètement idiot...

— Ah ! mais ils le sont parfois, objecta le colonel Weston. Leur stupidité est parfois surprenante. Je ne parle pas des meurtres — je suis assez heureux, ma foi, de pouvoir vous dire qu'ils sont assez rares par ici — mais des délits courants que traite la police. La sottise totale de ces gens-là est ahurissante.

— Ils n'ont pas la mentalité de tout un chacun.

— Peut-être. Si Vyse est notre homme, il va nous donner du fil à retordre. Il est prudent et c'est un excellent juriste. Il ne se trahira pas. Ce serait plus facile avec Mrs Rice. Je parie dix contre un qu'elle va recommencer. Les femmes ne brillent pas par leur patience. (Il se leva.) L'enquête judiciaire a lieu demain matin. J'ai mis le coroner au courant, il laissera filtrer le minimum d'informations. Ne dévoilons rien pour l'instant.

Il se dirigeait vers la porte lorsqu'il fit volte-face.

— Dieu me pardonne ! J'allais oublier ce qui vous intéresse le plus ! Que pensez-vous de ceci ?

Se rasseyant, il sortit de sa poche un bout de papier griffonné et tout froissé qu'il tendit à Poirot.

— Mes hommes l'ont trouvé en fouillant systématiquement le terrain. Pas très loin de l'endroit où vous regardiez tous le feu d'artifice. C'est la seule pièce à conviction que nous possédions.

Poirot défroissa le papier. Il était recouvert d'une grande écriture irrégulière :

... faut de l'argent tout de suite. Sinon, vous savez ce qui se passera... Ceci est un avertissement.

Poirot fronça les sourcils. Il le lut et le relut.

— Très intéressant, marmonna-t-il. Puis-je le garder ?

— Certainement. Il ne portait aucune empreinte digitale. J'espère que vous pourrez en tirer quelque chose. (Le colonel Weston se prépara à nouveau à sortir.) Il faut que j'y aille maintenant. C'est demain l'enquête, comme je vous l'ai dit. À propos, seul le capitaine Hastings sera convoqué à la barre des témoins. Nous ne voulions pas mettre la puce à l'oreille des journalistes en citant votre nom.

— Vous avez bien fait. A-t-on prévenu la famille de cette pauvre jeune fille ?

— Le père et la mère arrivent aujourd'hui du Yorkshire. Ils seront là à 5 heures et demie. Les pauvres gens. Je les plains de tout mon cœur. Ils emporteront le corps chez eux demain. Quelle histoire lamentable ! ajouta-t-il en hochant la tête. Je céderais volontiers ma place à un autre, monsieur Poirot.

— Hélas ! colonel. Comme vous le dites, c'est une tâche bien ingrate.

Après son départ, Poirot examina à nouveau le bout de papier.

— Est-ce un indice important ? demandai-je.

Il haussa les épaules.

— Qui sait ? Il y a du chantage dans l'air. L'un des invités de la soirée d'hier s'est fait extorquer de l'argent d'une façon très désagréable. Mais il peut très bien s'agir de quelqu'un qui n'a rien à voir avec notre affaire.

Il regarda l'écriture à la loupe.

— Hastings, cette écriture ne vous dit rien ?

— Elle me rappelle... Ça y est ! Le petit mot de Mrs Rice.

— Exact, approuva lentement Poirot. Elles se ressemblent. Il est indéniable qu'elles se ressemblent. C'est curieux. Et pourtant, je ne crois pas que ce soit l'écriture de Mrs Rice.

On frappa à la porte :

— Entrez ! cria-t-il.

C'était le capitaine Challenger.

— Je ne faisais que passer, expliqua-t-il. Vous avez du nouveau ?

— Parbleu, lui dit Poirot. Pour l'instant, je me sens plutôt revenu à mon point de départ. J'ai l'impression de progresser à reculons !

— C'est bien embêtant ! Mais j'ai peine à vous croire, monsieur Poirot. J'ai tellement entendu parler de vous et tout le monde s'accorde à dire que vous êtes un type extraordinaire. Vous n'avez jamais échoué, paraît-il.

— C'est faux, contesta Poirot. J'ai subi un cuisant échec en Belgique en 1893. Vous vous souvenez que je vous l'ai raconté, Hastings ? L'histoire de la boîte de chocolats.

Je hochai la tête en souriant, car après m'avoir narré l'affaire, Poirot m'avait enjoint de lui dire « Boîte de chocolats » chaque fois que je trouverais qu'il se laissait emporter par la vanité. Ce qui ne l'empêcha d'ailleurs pas de se sentir abominablement humilié quand je le rappelai à l'ordre avec les mots magiques à peine une minute et demie plus tard...

— Bah ! fit Challenger, cela fait si longtemps. Ça ne compte plus. Vous allez découvrir le fond de l'affaire, n'est-ce pas ?

— Ça, je vous le jure. Vous avez la parole d'Hercule Poirot. Je serai comme le limier qui une fois qu'il a repéré une piste, ne la quitte plus.

— Bravo. Vous en avez repéré une ?

— Il y a deux suspects possibles.

— Je suppose qu'il est inutile de vous demander leurs noms ?

— Exact. Je ne vous les dirais pas. Voyez-vous, je n'ai pas la prétention de ne pas commettre d'erreurs.

— J'espère que mon alibi est convaincant, ajouta Challenger avec un petit clin d'œil.

Poirot sourit avec indulgence au grand gaillard bronzé :

— Vous avez quitté Devonport quelques minutes après 20 h 30 et vous n'êtes arrivé ici qu'à 22 h 05, soit vingt minutes après le crime. Devonport n'est pourtant qu'à une cinquantaine de kilomètres. Vous avez souvent fait le trajet en une heure, car la route est excellente. Vous voyez que votre alibi n'est pas si bon.

— Eh bien, je...

— Vous comprenez donc que je dois enquêter dans toutes les directions. Je viens de vous démontrer que vous n'aviez pas un excellent alibi, mais il y a encore autre chose. Je ne crois pas me tromper en disant que vous désirez épouser miss Nick ?

Le marin devint écarlate.

— J'ai toujours souhaité en faire ma femme, avoua-t-il d'une voix rauque.

— C'est bien ce que je pensais. Eh bien, miss Nick était fiancée à un autre. Vous aviez une bonne raison de vouloir supprimer cet homme. Inutile pourtant, car il vient de mourir en héros.

— C'était donc vrai... les fiançailles de Nick avec Michael Seton ? C'était le bruit qui courait en ville ce matin.

— Tiens, comme les nouvelles se propagent vite ! Vous l'ignoriez ?

— Je savais qu'elle était fiancée, elle me l'avait dit il y a deux jours. Mais elle n'avait pas voulu me laisser deviner avec qui.

— Il s'agissait de Michael Seton. Entre nous, je crois qu'il lui lègue une jolie petite fortune. Ah ! ce ne serait pas le moment que quelqu'un tue miss Nick, particulièrement en ce qui vous concerne. Elle pleure l'homme de sa vie à présent, mais le cœur se console vite et elle est jeune. Je crois en outre qu'elle vous aime beaucoup...

Challenger resta silencieux quelques instants.

— Si cela se pouvait..., murmura-t-il.

On frappa à la porte. C'était Frederica Rice.

— Je vous cherchais, dit-elle à Challenger. On m'a dit que vous étiez ici. Vous m'avez rapporté ma montre ?

— La voici, je suis allé la chercher ce matin.

Il la sortit de sa poche et la lui tendit. Elle avait une drôle de forme : c'était un petit globe arrondi attaché à un ruban de soie noire. Je me souvins que Nick portait la même à son poignet.

— J'espère qu'elle donnera l'heure exacte à présent.

— Oui, c'est ennuyeux. Elle se dérègle sans cesse.

— Elle est là pour flatter votre beauté plus que pour donner l'heure, dit Poirot.

— Ne peut-on concilier l'utile et l'agréable ? (Elle nous dévisagea l'un après l'autre.) J'interromps une conversation importante ?

— Pas du tout, madame. Nous ne parlions pas crime, nous discutions ragots. Nous disions que les nouvelles se répandent comme la poudre et que tout le monde sait aujourd'hui que Nick était fiancée à ce valeureux aviateur disparu.

— Elle était donc bien fiancée à Michael Seton ! s'exclama Frederica.

— Cela vous étonne, madame ?

— Un peu. Je ne sais pas pourquoi. Je me suis

bien doutée qu'il avait un faible pour elle l'automne dernier. Ils sont sortis souvent ensemble. Mais après Noël, ça a eu l'air de se refroidir et, d'après ce que je savais, ils ne se voyaient pratiquement plus.

— Ils ont bien gardé leur secret.

— Ce devait être à cause du vieux sir Matthew. Je crois qu'il était un peu dérangé.

— Vous ne vous doutiez de rien, madame ? Vous êtes pourtant très intime avec Nick.

— Nick est une petite cachottière à ses moments, murmura Frederica. Maintenant je comprends sa nervosité. Oh ! j'aurais dû tout deviner après ce qu'elle m'a dit l'autre jour.

— Votre jeune amie est ravissante, madame.

— C'est ce que pensait aussi ce bon Jim Lazarus à une époque, fit remarquer sans tact Challenger avec un grand rire.

— Oh ! Jim, vous savez...

Elle eut beau hausser les épaules, elle accusa quand même le coup.

— Dites-moi, monsieur Poirot, avez-vous...

Elle s'arrêta net, blêmit et chancela. Ses yeux étaient fixés sur la table.

— Vous ne vous sentez pas bien, madame ?

Elle s'effondra sur la chaise que je lui tendais. Tout en secouant la tête, elle murmura « ça va ». Prostrée, elle gardait le visage enfoui dans ses mains.

Nous la regardions, embarrassés.

Au bout d'une minute, elle se redressa.

— C'est ridicule ! George chéri, ne me regardez pas avec cet air affligé. Parlons plutôt du meurtre ou de quelque chose d'intéressant ! J'aimerais savoir si M. Poirot est sur une piste.

— Il est encore trop tôt pour le dire, madame, répondit prudemment Poirot.

— Enfin, vous devez bien avoir votre petite idée ?

— Oui, mais il me manque des preuves.

— Oh ! fit-elle, incrédule.

Tout d'un coup, elle se leva.

— J'ai la migraine, déclara-t-elle. Je vais aller m'étendre. J'espère qu'ils me laisseront voir Nick demain.

Elle quitta brusquement la pièce. Challenger fronça les sourcils.

— Ah, les femmes ! Avec celle-là, on ne sait jamais sur quel pied danser. Nick l'aime beaucoup, mais je me demande si c'est réciproque. Quand elles se parlent, elles se donnent du « chérie » par ci, « chérie » par là, alors qu'en fait elles pensent plutôt « va au diable ! » Vous sortez, monsieur Poirot ?

Le petit détective s'était levé et époussetait son chapeau avec soin.

— Oui, je descends en ville.

— Puis-je vous accompagner ? Je n'ai rien de spécial à faire.

— Mais bien sûr, avec plaisir.

Nous quittâmes la pièce. Soudain Poirot rebroussa chemin en marmonnant une excuse. Il nous rejoignit ensuite rapidement en brandissant sa canne qu'il avait oubliée.

Challenger cligna des paupières, un tantinet médusé ! La canne en question, avec son pommeau incrusté, ne passait pas inaperçue.

Poirot se rendit d'abord chez le fleuriste.

— Je voudrais envoyer des fleurs à miss Nick, nous expliqua-t-il.

C'était un client difficile à satisfaire. Son choix finit par se porter sur un panier — aussi doré que tarabiscoté — qu'il fit remplir d'œillets orange. Le tout était retenu par un gros nœud bleu.

La commerçante lui donna une carte sur laquelle il inscrivit avec des pleins et des déliés : *Avec les compliments d'Hercule Poirot.*

— Je lui ai fait porter des fleurs ce matin, nous

confia Challenger. Croyez-vous que des fruits lui feraient plaisir ?

— Inutile, répliqua Poirot.

— Comment ?

— J'ai dit que ça n'était pas la peine. Elle n'a pas le droit d'accepter des cadeaux qui se mangent.

— Qui a dit cela ?

— Moi. C'est une consigne que j'ai donnée. J'ai déjà averti miss Buckley. Elle est d'accord.

— Grands dieux ! s'exclama Challenger.

Il avait l'air profondément troublé et regarda Poirot avec attention.

— Alors c'est donc ça ? Vous craignez toujours quelque chose ?

16

UN ENTRETIEN AVEC MR WHITFIELD

L'enquête fut des plus sommaires : on n'avait pas grand-chose à se mettre sous la dent. On procéda à l'identification du corps puis je racontai comment j'avais découvert le cadavre. Ce fut ensuite la déposition du médecin.

Les conclusions furent remises à la semaine suivante.

Le meurtre de St Loo avait acquis la notoriété et faisait la une des journaux. Il succédait bel et bien, en fait, à « Disparition de Seton : on ignore ce qu'il est advenu de l'aviateur ».

Maintenant que Seton était mort et que la nation tout entière avait rendu hommage à sa mémoire, il fallait un nouveau sujet d'émotion. Le mystère de St Loo était une bénédiction pour la presse en manque de sujets à sensation pendant ce mois d'août.

Après ma déposition, esquivant les journalistes, je rejoignis Poirot et nous parlâmes un moment avec le révérend Giles Buckley et son épouse, Jane.

Les parents de Maggie formaient un couple totalement hors du temps et d'une simplicité touchante.

Mrs Buckley, une grande femme blonde à l'air décidé, pouvait difficilement renier ses origines écossaises. Son mari, en revanche, était un petit homme grisonnant que son air mal assuré rendait assez attirant.

Ces pauvres gens étaient complètement hébétés par le malheur qui leur tombait dessus et leur ravissait leur fille chérie. « Notre Maggie », ne cessaient-ils de répéter.

— Je n'ai pas encore réalisé ce qui s'est passé, disait Mr Buckley. Une enfant si charmante, monsieur Poirot. Si douce et désintéressée, entièrement dévouée à autrui. Qui pouvait lui vouloir du mal ?

— Je n'y croyais pas en lisant le télégramme, continua Mrs Buckley. Nous l'avions quittée la veille.

— Au cœur de la vie, nous sommes toujours au seuil de la mort, murmura son époux.

— Le colonel Weston a été très bon, dit Mrs Buckley. Il nous a promis de faire tout son possible pour découvrir le coupable. Ce ne peut être que l'œuvre d'un fou. Je ne vois pas d'autre explication.

— Madame, je ne puis vous dire à quel point je compatis à votre douleur et combien j'admire votre force d'âme !

— Le désespoir ne nous rendrait pas notre Maggie, constata-t-elle tristement.

— Ma femme est merveilleuse, approuva le pasteur. Sa foi et son courage sont un exemple pour moi. C'est tellement... tellement incompréhensible, monsieur Poirot.

— Hélas ! monsieur.

— J'ai entendu dire que vous étiez un grand détective, monsieur Poirot, dit Mrs Buckley.

— C'est ce que l'on dit, madame.

— Oh ! Mais c'est vrai. Même dans notre petit village perdu dans la campagne, nous avons entendu parler de vous. Vous allez découvrir la vérité, n'est-ce pas, monsieur Poirot ?

— Je ne m'accorderai aucun repos avant de la connaître, madame.

— Elle vous sera révélée, monsieur Poirot, murmura le pasteur d'une voix tremblante. Le mal ne peut rester impuni.

— Le mal ne demeure jamais impuni, monsieur. Mais le châtiment reste parfois secret.

— Qu'entendez-vous par là ?

Poirot se contenta de hocher la tête.

— Pauvre petite Nick, soupira Mrs Buckley. C'est encore elle qui me fait le plus de peine. Elle m'a écrit une lettre bouleversante où elle s'accusait d'être responsable de la mort de Maggie.

— Ce sont des sentiments morbides, fit Mr Buckley.

— Oui, mais je comprends ce qu'elle doit éprouver. J'aimerais tant la voir. Il est invraisemblable que même sa famille ne soit pas admise auprès d'elle.

— Les médecins et les infirmières sont très stricts, dit Poirot d'un air évasif. Ce sont eux qui établissent le règlement et rien ne pourrait le modifier. Ils doivent craindre pour elle l'émotion — bien compréhensible — qu'elle éprouverait en vous voyant.

— C'est possible, admit Mrs Buckley sans grande conviction. Mais je suis contre les cliniques et je trouve qu'il serait plus bénéfique pour Nick que nous l'emmenions avec nous... loin d'ici.

— Vous avez sans doute raison, mais je crains qu'ils ne refusent. Vous ne l'avez pas vue depuis longtemps ?

— Pas depuis l'automne dernier où elle est venue à Scarborough. Maggie est allée passer une journée avec elle, puis elles sont revenues et Nick a dormi une nuit à la maison. C'est une enfant charmante, encore que je n'apprécie pas beaucoup ses amis. Ni la vie qu'elle mène... mais ça n'est pas vraiment sa faute, la pauvre petite. Elle n'a jamais été élevée.

— La Maison du Péril est un drôle d'endroit, dit Poirot pensif.

— Je ne l'ai jamais aimée, fit Mrs Buckley. Quelque chose me met mal à l'aise dans cette maison. Sir Nicholas me déplaisait souverainement, il me donnait des frissons dans le dos.

— Ce n'était pas ce qu'on peut appeler un brave homme, j'en ai peur, approuva son mari, mais il pouvait exercer une certaine séduction.

— Ça ne m'a jamais frappée, répliqua-t-elle. Le mal rôde dans cette demeure et nous n'aurions jamais dû y envoyer notre Maggie !

— Il est trop tard maintenant, soupira Mr Buckley en hochant la tête.

— Je ne vous importunerai pas plus longtemps, reprit Poirot. Je voulais simplement vous présenter toutes mes condoléances.

— Vous avez été très bon, monsieur Poirot. Et nous vous sommes très reconnaissants de tout ce que vous faites.

— Quand regagnez-vous le Yorkshire ?

— Demain. Un bien triste voyage. Adieu, monsieur Poirot, et encore merci.

— Comme ils sont simples et charmants, constatai-je après leur départ.

Poirot acquiesça.

— Cela fait mal au cœur. Une tragédie aussi inutile. Cette jeune fille... Ah ! je me le reproche amèrement. Hercule Poirot était là et n'a pas su empêcher ce crime !

— Personne n'aurait pu l'empêcher.

— Vous dites n'importe quoi, Hastings. Un simple quidam ne pouvait rien faire, mais à quoi cela me sert-il d'être Hercule Poirot avec des petites cellules grises d'une qualité tellement supérieure à la moyenne, si je ne réussis pas là où les autres échouent ?

— Évidemment, présenté ainsi !

— Mais oui. Je suis stupéfait, démoralisé, complètement anéanti.

Il me sembla que l'anéantissement de Poirot ressemblait étrangement à une blessure d'amour-propre, mais je m'abstins avec prudence de tout commentaire.

— Et maintenant, en route pour Londres.

— Londres ?

— Oui. Nous avons le temps d'attraper le rapide de 14 heures. Tout est paisible ici. Miss Nick est à l'abri dans sa clinique. Personne ne peut lui faire de mal. Les chiens de garde peuvent donc s'absenter. J'ai besoin d'une ou deux informations complémentaires.

Notre premier soin en arrivant à Londres fut de rendre visite aux avoués de feu le capitaine Seton, Messrs Whitfield, Pargiter & Whitfield.

Poirot avait pris rendez-vous au préalable et, bien qu'il fût 6 heures passées, nous fûmes bientôt introduits chez Mr Whitfield, le patron de l'étude.

C'était un homme courtois et imposant. Il avait sur son bureau une lettre du chef de la police St Loo, ainsi qu'un courrier signé d'un haut fonctionnaire de Scotland Yard.

— Tout ceci me semble très irrégulier et pour le moins inhabituel, monsieur euh... Poirot, commença-t-il en essuyant son lorgnon.

— En effet, Mr Whitfield. Mais le meurtre est toujours irrégulier... et je suis heureux de le dire, assez peu courant.

— Exact. Tout à fait exact. Mais vous ne croyez pas que vous allez un peu loin en imaginant qu'il existe une relation entre ce meurtre et les dernières volontés de mon défunt client ?

— Non.

— Bien ! Dans ce cas... La lettre de sir Henry est parfaitement explicite. Je serai... hem... heureux de faire tout ce qui est en mon pouvoir pour vous aider.

— Vous étiez le conseiller juridique de feu le capitaine Seton ?

— Et de toute la famille Seton, cher monsieur, qui nous fait confiance depuis une centaine d'années.

— Parfaitement. Feu sir Matthew Seton avait-il fait un testament ?

— Nous l'avions rédigé nous-mêmes.

— Et comment a-t-il disposé de sa fortune ?

— Il a fait plusieurs legs, dont un au Musée d'histoire naturelle, mais la presque totalité de sa grande... de son immense fortune, dirais-je, a été léguée au capitaine Michael Seton. Il n'avait pas d'autre parent proche.

— Une immense fortune, dites-vous ?

— Feu sir Matthew possédait la seconde fortune d'Angleterre, répliqua posément Mr Whitfield.

— Il avait un caractère un peu particulier, m'a-t-on dit ?

Mr Whitfield le regarda avec sévérité.

— Monsieur Poirot, un millionnaire peut se permettre d'être excentrique. C'est d'ailleurs même ce que le commun des mortels attend de lui.

Le petit détective reçut la réprimande avec humilité et posa une autre question :

— J'ai cru comprendre qu'il était mort subitement ?

— Oui. Sir Matthew jouissait d'une santé florissante. Il avait pourtant une tumeur que personne n'avait décelée. Elle a touché un tissu vital et il a fallu opérer d'urgence. L'opération a été, comme d'habitude dans ces cas-là, une réussite. Mais sir Matthew est mort.

— Et toute sa fortune est revenue à Michael Seton ?

— C'est exact.

— Ce dernier avait rédigé un testament avant de quitter l'Angleterre ?

— Oui, si vous appelez cela un testament, répondit Mr Whitfield avec une grimace dédaigneuse.

— Est-il légal ?

— Parfaitement légal. Les intentions du signa-
taire sont claires et cela a été fait en présence de
témoins. Oui, tout est légal.

— Mais vous n'avez pas l'air d'accord avec les
termes de ce testament ?

— Mon cher monsieur, à quoi servons-nous dans
ce cas ?

Je m'étais souvent posé la question. J'avais eu
moi-même l'occasion de rédiger un testament très
simple et j'étais effaré par la longueur du verbiage
qu'y avait rajouté mon avoué.

— En vérité, continua Mr Whitfield, le capitaine
Seton n'avait pratiquement rien à laisser à cette
époque. Il vivait d'une pension que lui versait son
oncle. Il a dû penser que n'importe quoi ferait
l'affaire.

Et il avait bien raison, pensai-je à part moi.

— Et quelle est la teneur de ce testament ?
s'enquit Poirot.

— Il lègue la totalité de ce qu'il possède à sa
future femme, miss Magdala Buckley, et me désigne
comme exécuteur testamentaire.

— Miss Buckley devient donc héritière de droit ?

— Certainement, c'est elle qui hérite.

— Et que se serait-il passé si elle avait été tuée
lundi dernier ?

— Le capitaine Seton l'ayant précédée dans la
mort, l'argent aurait été à celui ou celle qu'elle aurait
institué comme légataire universel... ou en l'absence
d'un testament, à son plus proche parent.

» Dans ce cas, précisa Mr Whitfield avec allé-
gresse, les droits de succession auraient été énormes ! Considérables ! Trois morts successives...

Il secoua la tête et répéta :

— Énormes !

— Mais il serait resté quelque chose de cette fortune ? murmura doucement Poirot.

— Cher monsieur, je vous l'ai dit, sir Matthew était l'un des hommes les plus riches d'Angleterre.

Poirot se leva.

— Merci, Mr Whitfield. Merci mille fois pour tous ces renseignements.

— Je vous en prie. J'ajoute que je vais me mettre en rapport avec miss Buckley. Je crois d'ailleurs qu'un courrier est déjà parti. Je serai heureux de pouvoir lui rendre service.

— C'est une très jeune femme, le prévint Poirot, et elle aurait besoin des conseils d'un juriste compétent.

— Il est à craindre qu'elle ne devienne la proie des coureurs de dot, commenta Mr Whitfield d'un air soucieux.

— Il faut s'y attendre en effet, acquiesça Poirot. Au revoir monsieur.

— Adieu, monsieur Poirot. Je suis heureux d'avoir pu vous rendre service. Votre nom m'est... hem... familier !

Il avait prononcé ces derniers mots avec une certaine gentillesse — mais tout en laissant clairement entendre qu'il avait fait là un bel effort de courtoisie.

— Tout est exactement comme vous le pensiez, Poirot, le félicitai-je en sortant.

— Forcément, mon bon ami. Cela ne pouvait être autrement. Maintenant, en route pour le *Cheshire Cheese*. Nous y avons rendez-vous pour dîner avec Japp.

Nous trouvâmes l'inspecteur Japp, de Scotland Yard, déjà installé. Il se leva pour accueillir Poirot avec chaleur.

— Cela fait des années que nous ne nous sommes vus, monsieur Poirot. Je pensais que vous ne songiez plus qu'à cultiver votre jardin à présent.

— J'y songe, Japp, j'y songe. Je me suis même adonné un temps à la culture des cucurbitacées.

Mais même en cultivant son jardin, il est impossible d'échapper aux crimes.

Il poussa un soupir. Je savais qu'il évoquait cette étrange affaire de Fernley Park. Mon Dieu, comme je regrettais d'avoir été absent à cette époque.

— Et vous, capitaine Hastings, comment allez-vous ?

— En pleine forme, je vous remercie.

— Alors il s'agit de nouveau de meurtres ? poursuivit Japp de son air facétieux.

— Comme vous le dites. De nouveau.

— Ne soyez pas déprimé, mon vieux, répondit Japp. Même si vous n'y voyez pas très clair... dites-vous qu'à votre âge vous ne pouvez pas espérer remporter les mêmes succès que jadis. On finit tous par se ramollir en vieillissant. Il faut laisser leur chance aux jeunes !

— Pourtant ce sont les vieux chiens les mieux dressés, murmura Poirot. Ils sont rusés et ils ne lâchent jamais prise.

— Bah ! nous sommes des êtres humains, pas des chiens.

— Y a-t-il une telle différence ?

— C'est une façon de voir les choses. Mais vous êtes un phénomène, Poirot ! Pas vrai, capitaine ? Il l'a toujours été. D'ailleurs il n'a pas changé... un peu plus dégarni sur le sommet, mais vos bacchantes sont plus luxuriantes que jamais.

— Hein ? fit Poirot, que...

— Il vous complimente sur votre moustache, intervins-je pour le rassurer.

— C'est vrai qu'elle est belle, répondit Poirot en la caressant d'un air complaisant.

Japp partit d'un éclat de rire retentissant.

— Bon. J'ai fait le petit travail que vous m'aviez confié. Ces empreintes digitales...

— Alors demanda Poirot, impatient.

— Rien. Quel que soit l'individu, il n'a jamais eu

affaire à nos services. Par ailleurs, j'ai envoyé un télégramme à Melbourne et, que l'on mentionne son nom ou que l'on fournisse son signalement, il est manifestement inconnu là-bas.

— Tiens !

— Il y a peut-être anguille sous roche, mais lui, il n'a jamais été fiché. Quant à l'autre affaire...

— Oui ?

— Lazarus & Fils ont très bonne réputation, reprit Japp. Ils sont réguliers et honnêtes dans leurs tractations, durs en affaires bien sûr, mais c'est autre chose. Il faut être coriace dans ce métier. Bref, ils n'ont rien à se reprocher. En revanche, je crois qu'ils ont des problèmes... d'ordre financier.

— Tiens donc ?

— Ils ont été sévèrement touchés par la crise qui sévit en ce moment sur le marché de la peinture — comme d'ailleurs sur celui des meubles anciens. C'est la faute, sans doute, à toutes ces monstruosités modernes qui nous viennent du continent. Pour couronner le tout, ils se sont fait construire de nouveaux locaux l'an dernier... Et, ma foi, j'ai l'impression qu'ils sont dans une mauvaise passe.

— Merci pour tous ces renseignements.

— De rien. Ça n'est pas vraiment dans mes cordes comme vous le savez, mais je me suis fait un point d'honneur de trouver ce que vous cherchiez. Nous sommes bien placés pour avoir des informations.

— Mon bon Japp, comment ferais-je sans vous ?

— Bah ! ça n'est rien. Ça me fait plaisir de rendre service à un vieil ami. Je vous avais mis sur pas mal d'affaires tordues dans le bon vieux temps, pas vrai ?

Japp savait tout ce qu'il devait à Poirot qui l'avait maintes fois aidé à résoudre des affaires complexes.

— Oui, c'était le bon vieux temps.

— Maintenant encore, ça ne me déplairait pas que nous puissions collaborer de temps en temps. Vos méthodes sont peut-être un peu démodées, mais il faut reconnaître, vous avez la tête bien faite, mon cher Poirot.

— Et ma dernière question concernant le Dr MacAllister ?

— Alors lui, c'est le prototype du toubib pour dames ! Non ! pas un gynécologue, mais un de ces médecins pour les nerfs, qui vous conseillent de dormir dans une pièce aux murs violets et au plafond orange, et qui vous parlent de votre libido ou de ce genre de choses en vous disant de céder à vos instincts. Un charlatan, si vous voulez mon avis, mais les femmes en sont folles. Elles se précipitent toutes chez lui. Il voyage beaucoup, je crois qu'il travaille aussi à Paris.

— Qui est ce Dr MacAllister, demandai-je surpris. Ce nom ne me dit rien. D'où sort-il ?

— C'est l'oncle du capitaine Challenger, m'expliqua Poirot. Vous vous souvenez qu'il avait mentionné un oncle médecin ?

— Vous poussez loin les recherches ! Vous pensiez qu'il avait pu opérer sir Matthew ?

— Il n'est pas chirurgien, précisa Japp.

— Mon bon ami, dit Poirot, j'aime mettre mon nez dans tout ce qui se présente. Hercule Poirot est un fin limier. Il ne décolle pas de sa piste. Si hélas il n'y a pas de traces, il flaire partout — et avec une prédilection marquée pour tout ce qui ne sent pas très bon. Voilà comment je procède. Et souvent... si souvent ! je trouve !

— Ah ! c'est bien vrai que parfois ça ne sent pas la rose ! remarqua Japp. Certes, notre métier n'est pas toujours joli-joli. Le vôtre est même pire car, n'agissant pas à titre officiel, vous êtes toujours obligé de ruser pour vous faufiler jusqu'à votre proie...

— Je ne ruse pas, Japp. Je ne me suis jamais déguisé.

— Ce serait impossible, constata celui-ci. Vous

êtes unique et quand on vous a vu une fois, on ne peut pas vous oublier.

Poirot le dévisagea d'un air sceptique.

— Je plaisante ! Ne faites pas attention. Un porto ? Ça me semble une excellente idée.

La soirée continua dans une atmosphère détendue. Nous nous retrouvâmes bientôt plongés dans l'évocation des souvenirs de telle ou telle affaire. J'avoue que, moi aussi, j'aimais à évoquer le passé. Quels bons moments nous avions vécus. Je me sentais vieux et plein d'expérience !

Ce pauvre vieux Poirot. Notre affaire le déroutait, je le voyais bien. Ses capacités n'étaient plus ce qu'elles avaient été. Je pressentais un échec... jamais nous n'allions mettre la main sur le meurtrier de Maggie Buckley.

— Courage, mon bon ami, dit Poirot en me tapant sur l'épaule. Tout n'est pas perdu. Épargnez-nous donc cette tête d'enterrement !

— Quelle tête d'enterrement ? Moi, je vais très bien.

— Mais moi aussi, tout comme Japp.

— Nous allons tous bien, déclara Japp, hilare.

Et sur cette note optimiste, nous nous quittâmes.

Le lendemain matin, nous revînmes à St Loo. Dès son arrivée à l'hôtel, Poirot appela la clinique et demanda à parler à Nick. Je vis soudain son visage se transformer et il faillit lâcher l'appareil.

— Comment ? Quoi ? Répétez, s'il vous plaît.

Il écouta encore un instant puis s'écria :

— Oui, oui, j'arrive immédiatement.

Il tourna vers moi un visage décomposé.

— Pourquoi suis-je parti, Hastings ? Mon Dieu ! Mais pourquoi ?

— Que s'est-il passé ?

— Miss Nick est au plus mal. Empoisonnée à la cocaïne. Ils l'ont eue finalement. Mon Dieu ! Mon Dieu ! Pourquoi suis-je parti ?

17

LA BOÎTE DE CHOCOLATS

Pendant tout le trajet, Poirot marmonna dans sa moustache. Il se sentait atrocement coupable.

— J'aurais dû m'en douter. J'aurais dû m'en douter ! Mais que pouvais-je faire ? J'avais pris toutes les précautions. C'est impossible, impossible ! Personne n'a pu l'approcher ! Qui a désobéi à mes ordres ?

À la clinique, on nous fit attendre dans une petite salle du rez-de-chaussée. Quelques instants plus tard, le Dr Graham arriva. Il était pâle et paraissait épuisé.

— Elle s'en tirera, nous rassura-t-il. Elle va mieux à présent. Le problème était de savoir quelle quantité de ce maudit produit elle avait avalée.

— Quel produit ?

— Cocaïne.

— Elle s'en sortira ?

— Oui, oui elle s'en sortira.

— Mais comment cela a-t-il pu se produire ? Comment des gens sont-ils arrivés jusqu'à elle ? Qui est entré ?

Poirot ne tenait pas en place.

— Personne n'est entré.

— Mais c'est impossible !

— C'est la vérité.

— Mais alors...

— C'est cette boîte de chocolats.

— Sacré nom... Je lui avais dit de ne rien manger ! Rien qui vienne de l'extérieur !

— Je l'ignorais. Essayez donc d'empêcher une jeune fille de s'intéresser à une boîte de chocolats. Elle n'en a mangé qu'un, Dieu merci.

— Il y avait de la cocaïne dans tous les chocolats ?

— Non. Elle en a pris un et il y en avait deux autres dans la rangée du haut. Le reste n'était pas empoisonné.

— Comment avait-on procédé ?

— C'est tout bête. On avait coupé le chocolat en deux : on avait mélangé la cocaïne à la pâte fourrée et il ne restait plus qu'à recoller le chocolat. Du bricolage. C'est ce que l'on appelle un travail d'amateur.

— Ah si j'avais su ! gémit Poirot. Si je m'étais douté un seul instant ! Puis-je la voir ?

— Dans une heure peut-être, lui répondit le médecin. Remettez-vous, mon cher, elle ne va pas mourir.

Pendant une heure nous déambulâmes dans les rues de St Loo. Je fis de mon mieux pour distraire Poirot de ses idées noires. Je n'arrêtais pas de lui répéter que tout allait bien et qu'en fin de compte il n'y avait pas de dégâts.

Mais il secouait la tête et se contentait de répondre :

— J'ai peur, Hastings, j'ai peur...

Ses manières étranges finirent par m'effrayer moi aussi. À un moment il m'agrippa le bras.

— Écoutez. Je me trompe complètement. Je me trompe depuis le début.

— Vous voulez dire que ce n'est pas à cause de l'héritage...

— Non, non, pour cela j'ai raison. Oh oui ! Mais

ces deux-là... c'est trop simple... trop facile. Ce doit être plus compliqué. Oui, il y a quelque chose.

Il s'écria dans un accès d'indignation :

— Ah ! cette petite ! C'était pourtant une interdiction formelle. Ne lui avais-je pas dit : « Ne touchez à rien qui vienne de l'extérieur » ? Elle a désobéi à Hercule Poirot ! Ne lui suffisait-il pas d'avoir échappé à la mort à quatre reprises ? Fallait-il prendre un cinquième risque ? Ah, c'est inouï !

Nous rebroussâmes enfin chemin. Après une brève attente, on nous conduisit au premier étage.

Nick était assise dans son lit, les pupilles démesurément dilatées. Elle était fébrile et ne cessait de se tordre nerveusement les mains.

— Ça recommence, murmura-t-elle.

À la voir ainsi, Poirot fut réellement bouleversé. S'éclaircissant la voix, il lui saisit la main.

— Ah, mademoiselle !... Mademoiselle...

— Ça me serait égal qu'ils m'aient eue cette fois, dit-elle d'un air de défi. J'en ai assez ! Assez de tout.

— Pauvre petite !

— Pourtant, tout au fond de moi, je refuse de les laisser gagner.

— C'est votre force d'âme, mademoiselle. Vous jouez le jeu, vous relevez le défi.

— Votre bonne vieille clinique n'était pas si sûre après tout, lui fit-elle remarquer.

— Si vous aviez obéi à mes ordres, mademoiselle...

Elle le regarda un peu étonnée.

— Mais c'est ce que j'ai fait.

— Je vous avais pourtant dit clairement que vous ne deviez rien manger qui vienne de l'extérieur ?

— Mais je vous ai obéi.

— Et ces chocolats...

— Mais... C'est vous qui me les avez envoyés !

— Comment ?

— Ils venaient de vous !

— De moi ? Jamais de la vie !

— Mais si ! Il y avait votre carte dans la boîte !

— Quoi ?

Nick fit un geste égaré vers sa table de chevet. L'infirmière s'avança.

— Vous cherchez la carte qui était dans la boîte ?

— Oui, s'il vous plaît.

L'infirmière revint quelques minutes plus tard, la carte à la main.

— La voici.

Nous restâmes bouche bée. Sur la carte, je voyais les mots mêmes que Poirot avait tracés d'une écriture alambiquée sur le bristol qui accompagnait le panier de fleurs : *Avec les compliments d'Hercule Poirot.*

— Sacré tonnerre !

— Vous voyez ! s'écria Nick.

— Ce n'est pas moi qui ai écrit cela !

— Quoi ?

— Et pourtant, murmura le détective, c'est mon écriture.

— Je le sais bien. Une carte identique accompagnait les œillets orange. Je ne me suis pas méfiée une seconde des chocolats.

— Comment l'auriez-vous pu ? Le monstre ! Le monstre rusé et vicieux ! Il a du génie, cet homme-là ! « *Avec les compliments d'Hercule Poirot* ». Tellement simple ! Oui, mais il fallait y penser. Moi, je n'y avais pas pensé. Je n'avais pas prévu ce coup-là.

Nick s'agita dans son lit.

— Calmez-vous, mademoiselle. Vous n'êtes pas à blâmer, au contraire. C'est moi le fautif, misérable imbécile que je suis ! J'aurais dû prévoir cette manœuvre. Oh oui ! j'aurais dû m'en douter.

Son menton s'affaissa sur sa poitrine, image vivante de la désolation.

L'infirmière tournait autour de nous d'un air réprobateur. Elle finit par dire :

— Et maintenant...

— Comment ? Oui, oui, je m'en vais. Courage, mademoiselle. Je vous jure que ce sera ma dernière erreur. Je suis honteux et confus, mais ils se sont joués de moi, ils ont été les plus malins et m'ont eu comme un bleu. Cela ne se reproduira pas. Je vous le promets. Venez, Hastings.

Le premier geste de Poirot fut d'aller interroger l'infirmière en chef. Elle était naturellement toute retournée par cette affaire.

— Ce n'est pas croyable, monsieur Poirot, pas croyable. Qu'une chose pareille puisse se passer dans notre établissement !

Poirot fit preuve de tact et de compréhension. Après avoir prononcé quelques paroles apaisantes, il s'enquit des circonstances dans lesquelles le paquet fatal était arrivé. L'infirmière l'arrêta et lui suggéra qu'il valait mieux interroger le garçon de salle qui était de garde à ce moment-là.

L'homme en question s'appelait Hood. Âgé d'une vingtaine d'années, il avait tout du brave garçon pas très malin. Comme il semblait nerveux et mal à l'aise, Poirot prit le temps de le rassurer.

— Nous n'avons aucun reproche à vous adresser, lui dit-il gentiment. Mais j'aimerais que vous me racontiez exactement quand et comment ce paquet est arrivé.

— C'est difficile à préciser, monsieur, fit le garçon de salle d'un air embarrassé. Il y a beaucoup de passage, les gens vont et viennent, demandent des renseignements ou déposent des paquets pour les malades.

— L'infirmière dit que celui-là est arrivé hier soir, précisai-je. Aux alentours de 6 heures.

Le visage du garçon s'illumina.

— Maintenant je m'en souviens. C'est un monsieur qui l'a amené.

— Un monsieur au visage mince... blond ?

— Blond, oui... mais je ne me souviens pas de son visage.

— Charles Vyse l'aurait-il apporté en personne ? murmurai-je à l'intention de Poirot.

Il ne m'était pas venu à l'esprit que Vyse pût être un nom familier au garçon de salle.

— Non, ça n'était pas Mr Vyse, dit-il. Je le connais. Il était plus grand, un beau monsieur... dans une grosse voiture.

— Lazarus ! m'exclamai-je.

Poirot me foudroya du regard et je regrettai ma précipitation.

— Il avait une belle voiture et il a laissé un paquet. À l'intention de miss Buckley ?

— Oui, monsieur.

— Et qu'en avez-vous fait ?

— Je n'y ai pas touché, monsieur. C'est l'infirmière qui l'a pris.

— Très juste. Mais vous l'avez eu entre les mains lorsque cet homme vous l'a remis, n'est-ce pas ?

— Oh ! oui, bien sûr, monsieur. Il me l'a donné et je l'ai posé sur la table.

— Quelle table ? Montrez-la-moi, s'il vous plaît.

Il nous conduisit dans le vestibule. La porte d'entrée était ouverte. À côté, sur une console à dessus de marbre, s'empilaient des lettres et des paquets.

— Tout est déposé là, monsieur. Ce sont les infirmières qui distribuent ensuite les objets aux patients.

— Vous souvenez-vous de l'heure à laquelle ce paquet a été apporté ?

— Il devait être 5 heures et demie, ou même un peu plus tard. Le facteur venait de passer, et c'est son heure. On n'avait pas arrêté de l'après-midi. Beaucoup de gens étaient venus apporter des fleurs ou rendre visite à des malades.

— Je vous remercie. Maintenant je voudrais voir l'infirmière qui a porté le paquet.

Il se trouvait que c'était une stagiaire, petite personne ébouriffée, tout en émoi. Elle se souvenait d'avoir monté le paquet à 6 heures quand elle avait pris son tour de garde.

— 6 heures, murmura Poirot. Ce paquet est donc resté en bas sur la table pendant une bonne vingtaine de minutes.

— Pardon ?

— Rien, mademoiselle. Poursuivez. Vous avez donc apporté ce colis à miss Buckley ?

— Oui. Il y avait plusieurs choses pour elle. Cette boîte et aussi des fleurs, des pois de senteur envoyés par Mr et Mrs Croft, je crois. Je les lui ai apportés en même temps. Il y avait aussi un paquet qui était arrivé par la poste... et fait curieux, c'était aussi une boîte de chocolats de chez Fuller.

— Comment ? Une seconde boîte ?

— Oui. Drôle de coïncidence ! Miss Buckley a ouvert les deux et elle a dit : « Comme c'est dommage ! Je n'ai pas le droit d'en manger. » Ensuite elle a soulevé les couvercles pour regarder à l'intérieur si c'était vraiment les mêmes et elle a vu votre carte dans l'une d'elles. Alors elle m'a dit : « Mademoiselle, prenez la boîte qui m'est interdite. Sinon, je vais les confondre. » Mon Dieu, qui aurait pu imaginer une chose pareille ? On se croirait dans un roman d'Edgar Wallace.

Poirot interrompit son flot de paroles.

— Deux boîtes, avez-vous dit ? De qui venait la seconde ?

— Il n'y avait pas de carte à l'intérieur.

— De ces deux boîtes, laquelle est arrivée par la poste ? Celle qui était censée être la mienne ou l'autre ?

— Je ne m'en souviens plus. Voulez-vous que je le demande à miss Buckley ?

— Vous seriez bien aimable.

Elle se précipita à l'étage.

— Deux boîtes, murmura Poirot. Voilà qui est troublant.

L'infirmière réapparut hors d'haleine.

— Miss Buckley n'en sait rien. Elle les avait déballées toutes les deux avant de regarder à l'intérieur. Mais elle croit se souvenir que ce n'était pas celle envoyée par la poste.

— Quoi ? fit Poirot qui s'y perdait.

— Votre paquet n'était pas celui qui est arrivé par la poste. Mais elle n'en est pas certaine.

— Diable ! grommela Poirot, tandis que nous repartions. Peut-on jamais être certain de rien ? Dans les romans policiers, oui. Mais dans la réalité, c'est toujours la pagaille. Moi-même, ai-je des certitudes ? Non, non et encore non !

— Lazarus...

— Oui, voilà qui est étonnant.

— Allez-vous lui en toucher un mot ?

— Mais bien sûr. Je serais curieux de voir sa réaction. À ce propos, nous ferions bien d'exagérer l'état de miss Nick. Il n'y a rien de mal à laisser courir le bruit qu'elle se trouve à l'article de la mort. Vous saisissez ? Prenez un visage solennel... oui, parfait. Vous avez l'air d'un croque-mort.

Nous eûmes la chance de tomber sur Lazarus, la tête sous le capot de son automobile juste devant le *Majestic*.

Poirot se dirigea droit vers lui.

— Mr Lazarus, hier en fin d'après-midi, vous avez déposé une boîte de chocolats pour miss Buckley, commença-t-il sans préambule.

Lazarus se redressa, surpris.

— Oui.

— C'était très gentil de votre part.

— En réalité, c'était de la part de Freddie... euh...

de Mrs Rice. Elle m'avait demandé de les lui apporter.

— Ah ! je vois.

— J'y suis allé d'un coup de volant.

— Je comprends.

Mon ami resta silencieux quelques instants puis il
reprit :

— Où se trouve Mrs Rice ?

— Dans le hall de l'hôtel, sans doute.

Elle était en train d'y prendre le thé et nous
regarda avec une expression inquiète.

— Qu'est-ce que c'est que cette histoire ? Nick est
souffrante ?

— Il y a du mystère dans l'air, madame. Dites-
moi, lui avez-vous envoyé une boîte de chocolats,
hier ?

— Oui. Ou plus exactement, elle m'a demandé de
lui en envoyer.

— C'est elle qui vous l'a demandé ?

— Oui.

— Mais elle ne devait voir personne ! Quand
l'avez-vous vue ?

— Elle m'a téléphoné.

— Que vous a-t-elle dit ?

— « Peux-tu me faire porter un kilo de chocolats
de chez Fuller. »

— Sa voix vous a-t-elle paru... faible ?

— Non. Pas du tout, plutôt ferme au contraire
mais un peu différente. Au début je ne l'ai pas reconnue.

— Jusqu'à ce qu'elle vous ait dit son nom.

— C'est cela.

— Êtes-vous bien sûre, madame, qu'il s'agissait
de votre amie ?

Frederica le regarda, interloquée :

— Mais... mais oui, bien sûr, c'était elle. Qui
d'autre voulez-vous que ce soit ?

— Excellente question, madame.

— Vous ne voulez pas dire...

— Sans tenir compte de ce qu'elle a pu dire, pourriez-vous jurer que c'était bien la voix de votre amie ?

— Non, répondit lentement Frederica, je ne le peux pas. Sa voix était différente, j'en suis sûre. J'ai cru que c'était le téléphone... ou qu'elle était peut-être souffrante...

— Si elle n'avait pas dit qui elle était, vous ne l'auriez pas reconnue ?

— Non, non je ne crois pas. Qui était-ce, monsieur Poirot ?

— J'aimerais bien le savoir, madame.

Le visage de Poirot était si grave qu'elle se sentit tout de suite alarmée.

— Il est arrivé quelque chose à Nick ?

— Oui. Elle est très malade. Sa vie est en danger. Ces chocolats étaient empoisonnés, madame.

— Les chocolats que, moi, je lui ai envoyés ? Mais c'est impossible... impossible !

— Hélas non ! madame, je vous dis que miss Buckley est à l'article de la mort.

— Oh, mon Dieu ! dit-elle en se cachant le visage dans les mains.

Elle était devenue toute pâle et tremblait comme une feuille.

— Je ne comprends pas... je ne comprends pas. L'autre, oui, mais pas celle-là. Ils ne pouvaient pas être empoisonnés. Personne n'y a touché, sauf Jim et moi. Vous faites une terrible erreur, monsieur Poirot.

— Ce n'est pas moi qui ai fait l'erreur... même si ma carte se trouvait dans la boîte.

Elle le dévisagea sans comprendre.

— Si miss Nick meurt..., gronda-t-il en faisant un geste menaçant de la main.

Elle poussa un cri étouffé.

Faisant demi-tour, il me prit par le bras et nous gagnâmes le salon du premier étage.

Là, il jeta son chapeau sur la table.

— Je n'y comprends rien, rien ! Je suis dans le noir total ! Je suis désarmé comme un enfant. Qui a intérêt à voir Nick disparaître ? Mrs Rice ! Or, qui admet avoir acheté les chocolats en racontant une histoire abracadabrante d'appel téléphonique ? Mrs Rice ! C'est trop simple, trop évident. Et elle est loin d'être sotte...

— Mais alors...

— Mais c'est une cocaïnomane, Hastings. J'en suis certain. Il n'y a pas d'erreur possible. Et il y avait de la cocaïne dans ces chocolats. Qu'a-t-elle voulu dire par : « L'autre, oui, mais pas celle là. » Cela nécessite des explications. Et ce bellâtre de Lazarus... que vient-il faire là ? Que sait Mrs Rice ? Elle sait quelque chose, mais je ne parviens pas à la faire parler. Elle n'est pas du genre à se laisser impressionner. Elle sait quelque chose, Hastings. Son histoire de téléphone est-elle vraie ou l'a-t-elle inventée ? Sinon à qui appartenait cette voix ? Je vous l'affirme, Hastings. Je suis dans le noir ! le noir le plus complet.

— La nuit précède le jour, dis-je pour le rassurer.

Il secoua la tête, perplexe.

— Cette seconde boîte, arrivée par la poste. Pouvons-nous l'éliminer ? Non, c'est impossible, car miss Nick n'est pas formelle. Tout cela est bien fâcheux ! gémit-il.

J'allais dire quelque chose quand il me coupa net.

— Non, non. Arrêtez avec vos proverbes. J'en ai assez. Si vous voulez vous montrer un bon ami, un ami fidèle...

— Oui, dites.

— Allez m'acheter un jeu de cartes, s'il vous plaît.

Je restai bouche bée.

— Très bien, répondis-je froidement.

Que pouvais-je penser, sinon qu'il cherchait à se débarrasser de moi ? Pourtant je me trompais. Ce soir-là, lorsque je pénétrai vers 10 heures dans le salon, je trouvai mon cher Poirot en train de construire avec mille précautions des châteaux de cartes et, d'un seul coup, je me souvins !

C'était un de ses vieux trucs, pour se calmer les nerfs. Il me fit un grand sourire.

— Ça ne vous rappelle rien ? La précision, on en a toujours besoin. On pose une carte sur l'autre, comme ça, exactement ; il n'y a qu'un seul endroit possible pour qu'une carte tienne sous le poids d'une autre carte... Allez vous coucher, Hastings, et laissez-moi avec mon château de cartes. Je m'éclaircis les idées.

Il était 5 heures du matin quand une main me secoua.

Poirot était debout tout heureux, au chevet de mon lit. Il paraissait avoir retrouvé dynamisme et bonne humeur.

— Vous disiez juste mon bon ami. Vous disiez tout à fait juste ! En outre, c'était très spirituel !

Je clignai des yeux, à moitié endormi.

— La nuit précède le jour, c'est le proverbe que vous m'avez assené. Il faisait très noir, n'est-ce pas, et maintenant l'aube se lève.

Je regardai par la fenêtre. Il avait raison.

— Mais non, Hastings. Dans ma tête ! Mon cerveau ! Les petites cellules grises !

Il s'interrompit, puis ajouta d'une voix calme.

— Hastings, miss Buckley est morte.

— Quoi ? m'écriai-je, brutalement réveillé tout à coup.

— Chut ! Calmez-vous. C'est moi qui le dis. Bien entendu, c'est faux... mais il faut que ce soit vrai pendant vingt-quatre heures. Je vais mettre ce petit stratagème au point avec le médecin et les infirmières.

» Comme ça, vous comprenez, Hastings ? Le meurtrier a réussi. Il a échoué quatre fois, mais la cinquième a été la bonne. Et nous allons bien voir ce qui va se passer... Ça va être passionnant.

18
LE VISAGE À LA FENÊTRE

Les événements de la journée du lendemain ne me laissèrent qu'un souvenir flou car, par malchance, je me réveillai fiévreux. Depuis que j'avais contracté la malaria, j'étais sujet à ces poussées de température qui tombaient toujours aux moments les plus inopportuns.

Ce qui me reste de cette journée-là ressemble plutôt à un cauchemar — un cauchemar ponctué par les apparitions de Poirot, qui avait l'air d'un clown fantastique en train de faire son numéro. En fait, je crois qu'il s'amusait beaucoup. Son prétendu désespoir était imité à la perfection. J'ignore comment il avait réussi à mener à bien son projet, dont il m'avait exposé les grandes lignes au petit matin. Mais, en tout cas, cela marchait à merveille.

Pourtant, ça n'avait sans doute pas été facile. Il avait dû user de bien des ruses et bien des subterfuges : or, les Anglais n'apprécient guère, en général, le mensonge à l'échelle industrielle — et c'était bien de cela, ni plus ni moins, qu'il s'agissait cependant. Il avait d'abord fallu convertir le Dr Graham. Puis, avec l'aide du bon docteur, il ne s'était agi de rien de moins que de persuader l'infirmière en chef et le personnel de la clinique de se conformer à ses indications. Là encore les difficultés avaient dû être de taille. Sans nul doute l'influence du Dr Graham avait-elle eu raison des dernières hésitations.

Ç'avait été ensuite le tour du chef de la police locale. Là, Poirot se dressait contre l'administration. Il avait fini par arracher son consentement au colonel Weston. Néanmoins ce dernier lui avait clairement précisé qu'il ne cautionnait pas ce mensonge. Poirot, et Poirot seul, prenait la responsabilité de répandre cette nouvelle mensongère. Le détective avait accepté cette condition. Il aurait tout accepté pour ne pas se laisser détourner de son projet.

Je passai la majeure partie de la journée à somnoler dans un grand fauteuil, les jambes enveloppées dans une couverture. Toutes les deux ou trois heures, Poirot faisait irruption pour me tenir au courant de la marche des opérations.

— Comment allez-vous, mon bon ami ? Comme je vous plains ! Mais cela vaut peut-être mieux ainsi. Vous ne joueriez pas le jeu aussi bien que moi. Je viens de commander une couronne, une immense couronne... superbe. Des lys, mon bon ami... des lys en quantité ! « Avec mes regrets les plus sincères. Hercule Poirot ». Quelle comédie !

Et il repartait.

— Je viens d'avoir une conversation pathétique avec Mrs Rice, me rapporta-t-il quelques heures plus tard. Tout de noir vêtue. « Ma pauvre amie ! Quelle tragédie ! Nick était si gaie, si débordante de vie ! Je n'arrive pas à l'imaginer morte. » J'émets quelques grognements compatissants, j'approuve et je renchéris : « La mort choisit toujours les jeunes êtres aimés, de préférence aux vieux inutiles. » Oh là là ! et je gémis de plus belle !

— Comme vous avez l'air de vous amuser, murmurai-je faiblement.

— Du tout. Cela fait partie de mon plan. Quand on veut jouer la comédie, il faut y mettre tout son cœur. Bref, une fois passées les manifestations de regret conventionnelles, Mrs Rice est revenue à un sujet plus terre à terre et m'a dit qu'elle avait passé la nuit à réfléchir à ces chocolats. Elle était arrivée à la conclusion que c'était impossible. « Mais non, madame, ai-je répondu, vous n'avez qu'à regarder les résultats des analyses du laboratoire. » Alors elle m'a répondu d'une voix mal assurée : « C'était... vous m'avez dit que c'était de la cocaïne ? » J'ai acquiescé et elle s'est exclamée : « Mon Dieu ! Je n'y comprends rien. »

— C'est peut-être vrai.

— Elle a tout à fait conscience du danger qui la menace. Je vous rappelle que c'est une femme intelligente. Oui, elle se sent en danger et elle n'a pas tort.

— Pourtant il me semble que pour la première fois depuis le début, vous ne croyez plus à sa culpabilité.

Poirot fronça les sourcils et perdit de sa superbe.

— Vous venez de dire là quelque chose de profond, Hastings. Non, en effet, il me semble que... quelque part, ça ne colle plus. Ces crimes s'étaient jusqu'à présent caractérisés par leur subtilité. Or, la subtilité a désormais disparu... les ficelles sont devenues énormes. Tout est facile, trop simple. Non, ça ne colle plus.

Il s'assit devant la table.

— Voilà, examinons les faits. Il y a trois possibilités. Nous avons les chocolats achetés par Mrs Rice et apportés par Lazarus. Dans ce cas nos soupçons portent sur l'un ou l'autre, ou sur les deux. Et le présumé appel téléphonique de Nick est inventé de toutes pièces. C'est la solution évidente, celle qui saute aux yeux.

» Deuxième solution : l'autre boîte de chocolats arrivée par le courrier. N'importe qui parmi notre liste de suspects de *a* à *j* a pu les envoyer. Souvenez-vous que nous avions le choix. Mais si c'était celle-là la boîte meurtrière, pourquoi ce coup de téléphone ? Et pourquoi compliquer les choses avec une seconde boîte ?

Je hochai faiblement la tête. Avec 39°5 de fièvre, toute complication me paraissait parfaitement absurde et inutile.

— Troisième solution : on a remplacé la boîte de Mrs Rice par une boîte empoisonnée. Dans cette optique, le coup de fil est plausible, et même ingénieux. On s'est servi de Mrs Rice et c'est elle qui devra tirer les marrons du feu. Cette solution est la plus logique, mais hélas ! aussi la plus difficile à admettre. Comment être sûr d'échanger les boîtes au moment propice ? Le garçon de salle aurait pu la porter tout de suite à l'étage... mille et un obstacles risquaient d'empêcher cette opération. Non, ça n'est pas vraisemblable.

— À moins qu'il ne s'agisse de Lazarus, objectai-je.

Poirot me contempla attentivement :

— Vous avez de la fièvre, mon ami. J'ai l'impression que votre température augmente.

J'acquiesçai.

— C'est étrange comme quelques petits degrés supplémentaires peuvent vous stimuler l'intellect ! Vous avez émis une remarque d'une profonde simplicité. Si simple d'ailleurs que je n'y avais pas songé. Mais cela donne un aperçu des choses pour le moins curieux : Mr Lazarus, le tendre ami de Mrs Rice, s'efforce de la faire pendre. Cela ouvre des horizons nouveaux, mais complexes... très complexes.

Je fermai les yeux. J'étais heureux de mon éclair de génie mais je ne voulais plus penser à rien. Je n'avais qu'une envie : dormir.

Je crois que Poirot continua à parler, mais je ne l'écoutais plus. Sa voix avait un effet vaguement soporifique...

Il réapparut en fin d'après-midi.

— Ma petite mise en scène fait la fortune des fleuristes, annonça-t-il. Tout le monde commande des couronnes. Mr Croft, Mr Vyse, le capitaine Challenger...

Ce dernier nom fit résonner en moi la corde de la pitié.

— Dites, Poirot, vous auriez dû le mettre dans le coup. Le pauvre garçon doit être anéanti. Ça n'est pas bien.

— Vous avez toujours eu un faible pour lui, Hastings.

— Il me plaît. C'est un type tout à fait bien. Il faut le mettre dans le secret.

— Non, mon bon ami. Je ne peux faire aucune exception.

— Mais vous ne le soupçonnez pas d'être mêlé à cette affaire ?

— Je ne ferai aucune exception.

— Songez comme il doit souffrir !

— Au contraire, je préfère penser à l'heureuse surprise que je lui prépare. Il croit que celle qu'il aime est morte et il va découvrir qu'elle est vivante ! C'est une sensation unique ! formidable !

— Quelle tête de mule vous faites ! Je suis sûr qu'il tiendrait sa langue.

— Pas moi.

— C'est un homme d'honneur, je vous l'affirme.

— Un homme d'honneur a beaucoup de mal à garder un secret, car c'est un art qui nécessite de bien savoir mentir. Il faut aimer jouer la comédie et être doué pour cela. Pensez-vous que le capitaine Challenger sache feindre ? S'il est tel que vous le dépeignez, cela me surprendrait.

— Alors, vous ne lui direz rien ?

— Je ne vais certainement pas mettre ma petite mise en scène en péril pour ses beaux yeux. Nous jouons avec la vie et la mort, mon cher. De toutes les manières, la souffrance forge le caractère. Nombre de vos pasteurs l'ont dit... même un évêque, si je ne m'abuse.

Je n'insistai pas. De toute évidence, sa décision était prise et rien ne pourrait le faire changer d'avis.

— Je ne m'habillerai pas pour le dîner, murmura-t-il. Je suis un vieil homme trop anéanti. Tel est le rôle que je dois jouer. Toute mon assurance s'est envolée. Je suis brisé... j'ai échoué. Je vais manger du bout des lèvres... en laissant mes assiettes pleines. Je crois que c'est l'attitude qui convient. Mais dans mes appartements, je mangerai des brioches et des éclairs au chocolat que j'ai eu la prévoyance d'acheter chez un traiteur. Et vous ?

— Un peu de quinine, dis-je d'un air lugubre.

— Mon pauvre Hastings ! Courage, vous irez mieux demain.

— Je l'espère bien. Ces accès ne durent que vingt-quatre heures.

Je ne l'entendis pas revenir, j'avais dû m'assoupir. Quand je rouvris les yeux, il était assis à la table et écrivait. Il avait devant lui une feuille de papier défroissée. Je reconnus celle sur laquelle il avait inscrit la liste de *a* à *j* et dont il avait fait une boulette avant de la jeter à la corbeille. Il fit un geste affirmatif devant mon interrogation muette.

— Oui, mon ami. Je l'ai ressortie des oubliettes et j'y travaille sous un nouvel angle. Je prépare une liste de questions concernant chacun de ces noms. Des questions qui n'ont pas forcément de rapport avec le crime... ce sont simplement des éléments qui me manquent, des détails qui demeurent inexpliqués. J'essaie de sortir les réponses de ma petite cervelle.

— Où en êtes-vous ?

— J'ai terminé. Puis-je vous la lire ? Vous sentez-vous suffisamment en forme ?

— Je vais beaucoup mieux à présent.

— À la bonne heure ! Bon, allons-y. Vous trouve-rez sans doute que certaines de ces questions sont puériles.

Il s'éclaircit la gorge.

— *a)* Ellen. *Pourquoi est-elle restée dans la maison pendant le feu d'artifice ? (Inhabituel, comme en témoignent les dires et la surprise de miss Nick.) Quel événement subodorait-elle ? A-t-elle fait entrer quelqu'un (par exemple j) dans la maison ? Dit-elle la vérité au sujet du panneau secret ? S'il existe, pour-quoi ne se souvient-elle pas de son emplacement ? (Miss Nick est certaine qu'il n'existe pas... et elle serait au courant.) Pourquoi Ellen aurait-elle inventé cela ? Avait-elle lu les lettres d'amour de Michael Seton, ou sa surprise à l'annonce des fiançailles de Nick est-elle sincère ?*

» *b)* Son mari. *Est-il aussi stupide qu'il le paraît ? En sait-il autant que sa femme ? Peut-on le considérer comme un détraqué ?*

» *c)* L'enfant. *Son attirance pour tout ce qui est sanglant est-elle naturelle, étant donné son âge et son niveau de développement, ou bien est-ce la preuve d'un tempérament morbide hérité d'un de ses parents ? A-t-il déjà joué avec un pistolet ?*

» *d)* Qui est Mr Croft ? *D'où vient-il en réalité ? A-t-il posté le testament comme il l'affirme ? Pour quelle raison ne l'aurait-il pas fait ?*

» *e)* Mrs Croft. *Voir ci-dessus. Qui sont Mr et Mrs Croft ? Se cachent-ils ? Si oui, pour quelle raison ? Ont-ils des liens avec la famille Buckley ?*

» *f)* Mrs Rice. *Était-elle au courant des fiançailles de Nick et de Michael Seton ? Les a-t-elle simplement devinées ou avait-elle lu les lettres qu'ils échan-geaient ? (Dans ce cas-là, elle aurait su que miss Buc-kley était l'héritière de Michael.) Savait-elle qu'elle-même était la légataire universelle de Nick ? (C'est probable. Son amie avait dû le lui dire, en ajoutant sans doute que ça ne la mènerait pas loin.) Y a-t-il une part de vérité dans la réflexion de Challenger sur l'attirance qu'aurait éprouvée Lazarus pour Nick ? (Cela pourrait expliquer un rafraîchissement des relations entre les deux amies, qui semble s'être produit au cours de ces derniers mois.) Quel est l'ami, mentionné dans son petit mot, qui lui fournit la drogue ? Pourrait-il s'agir de j ? Pourquoi son évanouissement l'autre jour dans cette pièce ? Était-ce quelque chose qui avait été dit ou quelque chose qu'elle avait vu ? A-t-elle vraiment reçu un coup de téléphone lui demandant d'acheter des chocolats ? Ou bien a-t-elle menti délibérément. Que signifie sa phrase « L'autre, oui, mais pas celle-là » ? Si elle est innocente, que sait-elle qu'elle ne veuille pas révéler ?*

» Vous saisissez, s'interrompit brusquement Poirot, qu'en ce qui concerne Mrs Rice, les questions sont inépuisables. Cette femme est une énigme. D'où ma conclusion : ou Mrs Rice est coupable, ou alors elle sait — mieux, elle pense savoir — qui est le meurtrier. Mais a-t-elle raison ? Est-ce de sa part une certitude ou un soupçon ? Et comment la faire parler ? (Il soupira.) Bon, je continue : *Mr Lazarus.* C'est curieux, je n'ai pratiquement pas de questions sur lui, sauf une, de taille : a-t-il opéré la substitution des boîtes ? Sinon, j'ai un autre point d'interrogation, mais qui n'a rien à voir avec le reste. Pourquoi a-t-il offert cinquante livres sterling pour un tableau qui n'en valait que vingt ?

— Une manière de faire une fleur à Nick, suggérai-je.

— Il ne s'y serait pas pris ainsi. Vous semblez oublier que c'est un commerçant qui n'achète pas pour vendre à perte. S'il voulait lui rendre service, il lui aurait prêté de l'argent à titre personnel.

— En tout cas, cela ne semble avoir aucune incidence sur le crime.

— En effet. J'aimerais néanmoins savoir pourquoi. Question de psychologie. Nous arrivons à *h.*

» *h)* Le capitaine Challenger. *Pourquoi miss Nick lui a-t-elle révélé qu'elle était fiancée à un autre ? Qu'est-ce qui l'a poussée à le faire ? Elle n'en avait parlé à personne. L'avait-il demandée en mariage ? Quelles sont ses relations avec son oncle ?*

— Son oncle ?

— Oui, le médecin. Cette personnalité plutôt discutable. La nouvelle de la mort de Seton est-elle parvenue à l'Amirauté avant d'être rendue publique ?

— Je ne vois pas très bien où vous voulez en venir, Poirot. Même si Challenger a su que Seton était mort avant tout le monde, cela ne nous amène rien de plus. Ça ne lui fournit aucun mobile valable pour tuer celle qu'il aime.

— Tout à fait d'accord. Vous avez parfaitement raison. Mais pour l'instant, tout ce que je cherche, c'est comprendre tout cela. Je suis toujours comme le chien qui n'hésite pas à mettre son nez dans ce qui ne sent pas très bon !

» *i)* Mr Vyse. *Pourquoi a-t-il dit que sa cousine était fanatiquement attachée à la Maison du Péril ? Dans quel but ? A-t-il oui ou non reçu le testament ? En définitive, est-il oui ou non honnête ?*

» Et maintenant *j.* Eh bien, je mets en face de *j* un grand point d'interrogation. Existe-t-il...

Mon Dieu, que vous arrive-t-il, mon bon ami ?

Un cri perçant m'avait échappé tandis que je sursautais sur ma chaise. Je tendis une main tremblante vers la fenêtre.

— Un visage, Poirot ! criai-je, un visage écrasé là contre la vitre. Une vision d'horreur ! Il est parti maintenant... mais je l'ai vu.

D'une enjambée, Poirot gagna la fenêtre, l'ouvrit et se pencha au-dehors.

— Il n'y a plus personne, dit-il pensivement. Vous êtes sûr que vous n'avez pas rêvé ?

— Sûr et certain. C'était un visage abominable.

— Il y a un balcon et il est très facile de grimper jusqu'ici pour écouter notre conversation. Quand vous parlez d'un visage abominable, que voulez-vous dire au juste, Hastings ?

— Une tête livide, avec des yeux fixes, presque inhumaine.

— C'est la fièvre, mon bon ami. Un visage, oui. Désagréable, d'accord. Mais inhumain, non ! C'est parce que ce visage était écrasé contre la vitre... et en plus, cette vision vous a causé un choc.

Mais je m'obstinai :

— C'était un visage horrible.

— Le connaissez-vous ?

— Non.

— Hum... c'était peut-être... quoique... je ne crois pas que vous le reconnaîtriez dans ces circonstances. Je me demande à présent, oui, je me demande vraiment...

Il rassembla ses papiers, plongé dans ses réflexions.

— Il y a au moins une chose positive. En admettant que cet individu nous espionnait, nous n'avons pas mentionné que miss Nick était en vie. Quoi qu'ait pu entendre notre mystérieux visiteur, cela, il l'ignore.

— Dans tous les cas, le résultat de vos... euh... brillantes manœuvres est un peu décevant à l'heure qu'il est. Nick est morte sans qu'aucun rebondissement ne se produise ! persiflai-je.

— Je n'attendais rien dans l'immédiat. J'ai dit vingt-quatre heures. Mon bon ami, sauf erreur de ma part, des événements se produiront demain. Sinon, je me trompe du tout au tout. Il y a le courrier, voyez-vous. Je fonde de grands espoirs sur le courrier de demain.

Le lendemain matin, je me réveillai assez affaibli, mais la fièvre était tombée et j'avais faim. Nous nous fîmes servir le petit déjeuner dans notre suite.

— Alors, lui demandai-je avec malice en le voyant trier son courrier. La poste a-t-elle fait son travail ?

Poirot, qui venait d'ouvrir deux enveloppes contenant de toute évidence des factures, ne répondit pas. Je le trouvais un peu déprimé et son petit air triomphant s'était évanoui.

À mon tour, j'ouvris mon courrier. La première lettre me conviait à une réunion de spiritisme.

— Si rien ne marche, nous pouvons toujours aller à une séance de spiritisme, dis-je en plaisantant. Je me suis souvent demandé pourquoi on ne fait pas plus souvent appel à ce genre de technique. L'esprit de la victime revient et désigne son assassin. Nous tiendrions là une preuve irréfutable !

— Cela ne nous serait pas d'un grand secours, répondit Poirot, l'air absent. Je me demande même si Maggie Buckley a vu son meurtrier. En supposant qu'elle puisse parler, elle ne nous révélerait rien de précieux. Tiens, c'est bizarre !

— Quoi donc ?

— Vous évoquiez la parole des morts, et à cet instant précis, j'ouvre cette lettre.

Il me la tendit. Elle venait de Mrs Buckley :

Presbytère de Langley

Cher Monsieur Poirot.

À mon retour j'ai trouvé une lettre que ma pauvre enfant m'avait envoyée dès son arrivée à St Loo. Je crains qu'elle n'ait pas grand intérêt pour vous, mais je me suis dit que vous aimeriez peut-être en prendre connaissance.

Merci encore de votre gentillesse.

Avec mes meilleurs sentiments.

Jane Buckley

Le petit mot qui était joint me serra la gorge. Il était si banal et témoignait d'une telle inconscience du drame qui se tramait :

Chère maman,

Je suis bien arrivée. Le voyage a été agréable, il n'y avait que deux voyageurs dans le compartiment jusqu'à Exeter. Il fait un temps superbe ici. Nick a l'air en forme et très gaie, un peu agitée pourtant, mais je me demande bien pourquoi elle m'a envoyé ce télégramme. Mardi aurait été aussi bien. Sinon, rien d'autre. Nous allons prendre le thé chez les voisins. Ce sont des Australiens qui louent le pavillon. Nick les trouve gentils mais terriblement embêtants. Mrs Rice et Mr Lazarus, l'antiquaire, vont venir passer quelques jours ici. Je vais me dépêcher de mettre cette lettre dans la boîte qui est près de la barrière pour attraper la levée. Je te récrirai demain. Ta fille qui t'aime,

Maggie

P S. Nick dit que son télégramme était justifié. Elle me racontera tout après le thé. Elle a l'air bizarre et nerveuse.

— La voix d'une morte, conclut Poirot calmement. Mais qui ne nous apprend rien.

— La boîte près de la barrière, soulignai-je machinalement. Là où Croft dit qu'il a posté le testament.

— Enfin, c'est ce qu'il prétend. Ah ! je me demande...

— Rien d'autre d'intéressant dans votre courrier ?

— Rien, Hastings. Je suis très déçu. Me voilà dans le noir à nouveau. Je ne comprends plus rien.

À cet instant le téléphone sonna et Poirot alla répondre. Je vis immédiatement un changement s'opérer sur son visage. Il essayait de se maîtriser sans pouvoir cacher son agitation. Il répondait par monosyllabes et je ne pus deviner ce dont il s'agissait.

Sur un « Très bien. Je vous remercie », il raccrocha et revint vers moi, les yeux brillant d'excitation.

— Que vous avais-je dit, mon bon ami ? dit-il triomphant. Le compte à rebours a commencé.

— Qui était-ce ?

— Charles Vyse. Il a reçu par le courrier de ce matin un testament signé de sa cousine, miss Buckley, et daté du 25 février !

— Quoi ? *Le* testament ?

— Évidemment.

— Il a ressurgi ?

— Très opportunément.

— Pensez-vous qu'il dise la vérité ?

— Suggérez-vous par là qu'il a toujours eu le testament ? Tout cela est très curieux. Mais une chose est certaine. Je vous avais prédit qu'en faisant courir le bruit de la mort de miss Nick, nous aurions du nouveau... et en voici !

— C'est extraordinaire. Vous aviez raison. Je suppose que c'est le testament qui désigne Frederica Rice comme légataire universelle ?

— Mr Vyse ne m'a rien révélé de son contenu. Il est bien trop respectueux des formes. Mais il s'agit sûrement de celui-là. Les témoins, m'a-t-il dit, sont Ellen Wilson et son mari.

— Nous voilà ramenés à notre problème initial : Frederica Rice.

— L'énigme !

— Frederica Rice, répétai-je distraitement. Quel joli nom !

— Plus joli que son surnom. Freddie... (Il esquissa une grimace.) Ça manque de féminité.

— Vous n'avez guère le choix avec Frederica. Ça n'est pas comme pour Margaret où il en existe une demi-douzaine : Maggie, Margot, Madge, Peggie...

— C'est vrai. Alors, Hastings, vous êtes rasséréné ? La situation se débloque ?

— Oui. Dites-moi, vous attendiez-vous à cela ?

— Non, pas vraiment. Pour dire la vérité, je n'avais rien prévu de précis. J'avais simplement dit qu'en créant un certain effet, nous en verrions apparaître les causes.

J'approuvai, impressionné.

— Qu'allais-je vous dire lorsque le téléphone a sonné ? demanda Poirot. Ah oui ! Cette lettre de miss Maggie. Je voudrais y jeter encore un coup d'œil. Un détail bizarre me trotte dans la tête.

Je la lui tendis et il la relut tout bas. J'allais et venais dans la pièce, en regardant par la fenêtre les bateaux qui naviguaient dans la baie.

Une exclamation me fit sursauter. Je me retournai : Poirot se tenait la tête dans les mains et se balançait convulsivement comme s'il souffrait le martyre.

— J'ai été aveugle, gémissait-il, aveugle !

— Que se passe-t-il ?

— Je trouvais cela compliqué ? Complexe ? Mais non. C'est d'une extrême simplicité au contraire. Et moi ! misérable que je suis ! Je n'ai rien vu ! Rien !

— Bonté divine, Poirot, quelle lumière vous a soudain illuminé ?

— Attendez... attendez... Taisez-vous ! Je dois remettre mes idées en place. Les revoir sous ce nouvel éclairage aveuglant.

Il relut en silence sa liste de questions. Je voyais ses lèvres remuer. De temps en temps, il hochait vigoureusement la tête.

Puis il lâcha le papier et s'allongea dans son fauteuil en fermant les yeux. Je le crus endormi, mais brusquement il soupira et ouvrit les yeux.

— Oui. Tout concorde ! Tout ce qui m'intriguait. Tous ces détails qui me semblaient anormaux. Chacun trouve sa place.

— Comment... Vous savez tout ?

— Presque tout ce qui importe. Certaines de mes déductions sont avérées. Mais j'ai été parfois si loin de la vérité que c'en est ridicule. Tout est enfin clair. Je vais envoyer aujourd'hui un télégramme avec deux questions, mais je connais déjà les réponses. Elles sont là-dedans ! dit-il en se frappant le front.

— Et que ferez-vous quand vous les aurez reçues ?

— Vous souvenez-vous de ce que miss Nick nous avait confié ? Elle voulait jouer une pièce de théâtre à la Maison du Péril ? Eh bien, ce soir, nous allons y donner une représentation. Dans une mise en scène d'Hercule Poirot. Miss Buckley jouera l'un des rôles.

Il eut tout à coup un large sourire.

— Vous comprenez, Hastings, il y aura un revenant dans cette pièce. Un fantôme ! La Maison du Péril n'a jamais été hantée, mais ce soir elle le sera. Non !

Il fit taire la question sur mes lèvres.

— Je ne dirai rien de plus. Ce soir, Hastings, nous jouerons notre comédie et la vérité jaillira. Mais il y a du pain sur la planche, à présent, beaucoup de pain sur la planche.

Il se précipita dehors.

19

LA MISE EN SCÈNE DE POIROT

L'assemblée qui se réunit ce soir-là à la Maison du Péril était bien étrange.

Je n'avais pratiquement pas vu Poirot de la journée. Il ne dîna pas à l'hôtel, mais un message m'enjoignait de le rejoindre à la Maison du Péril à 9 heures. La tenue de soirée n'était pas nécessaire, précisait-il.

On avait l'impression de nager dans une atmosphère de rêve assez grotesque.

À mon arrivée, je fus introduit dans la salle à manger. D'un rapide coup d'œil, je vis que tous les noms énumérés de *a* à *i* sur la liste de Poirot étaient présents — sauf *j* bien entendu, puisqu'il jouait le rôle de « l'abonné absent ».

Même Mrs Croft était là, dans un fauteuil roulant. Elle sourit et m'adressa un petit geste amical.

— Quelle surprise ! me dit-elle d'une voix enjouée. Je dois avouer que ça me change agréablement d'être là ! À partir d'aujourd'hui, j'essaierai de sortir de temps en temps. Tout ça, c'est grâce à M. Poirot. Venez vous asseoir à côté de moi, capitaine Hastings. Cette réunion me paraît plutôt macabre mais Mr Vyse a beaucoup insisté pour qu'elle ait lieu.

— Mr Vyse ? répétai-je étonné.

Celui-ci était adossé contre la cheminée. Poirot lui parlait à voix basse, il avait l'air grave.

Je jetai un regard circulaire dans la pièce. Ils étaient tous là. Après m'avoir fait entrer — j'étais un peu en retard — Ellen avait repris sa place sur une chaise près de la porte. À côté d'elle, son mari essayait de se tenir droit sur son siège et respirait bruyamment. Alfred, leur fils, se tortillait, mal à l'aise, entre son père et sa mère.

Les autres étaient assis autour de la table : Frederica, habillée de noir, avec Lazarus à ses côtés, George Challenger et Croft en face d'eux. Je me glissai près de Mrs Croft. Charles Vyse, après avoir fait un signe de tête, s'installa à une extrémité de la table tandis que Poirot s'asseyait discrètement à côté de Lazarus.

Apparemment le metteur en scène, puisque c'était le rôle que s'était décerné Poirot, n'avait pas l'intention de jouer un rôle majeur dans la représentation. Charles Vyse semblait prendre les affaires en main. Je me demandai quelle surprise lui réservait Poirot.

Le jeune avocat toussa pour s'éclaircir la voix. Puis il se leva, égal à lui-même, impassible, conventionnel et glacé.

— La réunion de ce soir est assez inhabituelle, mais les circonstances nous y ont poussés. Je veux bien entendu parler des circonstances qui entourent la mort de ma cousine, miss Buckley. Une autopsie s'impose, car il ne semble faire aucun doute qu'elle a été empoisonnée avec préméditation. Mais c'est l'affaire de la police et je n'empiéterai pas sur son domaine. D'ailleurs, elle s'y opposerait. D'ordinaire, le testament d'un défunt est lu après ses obsèques, mais à la requête de Mr Poirot, je me propose de vous en donner lecture avant la cérémonie.

» En réalité, je vais vous le lire maintenant, ce qui justifie votre présence à tous ce soir. Comme je viens

de vous l'expliquer, les circonstances sont exception-
nelles et justifient ce manquement aux usages.

» Le testament lui-même m'est parvenu d'une
manière pour le moins inhabituelle. Daté de février
dernier, il n'est arrivé que par le courrier de ce
matin. Néanmoins j'ai reconnu sans aucune équivoque l'écriture de ma cousine, et bien que ce soit un
document tout à fait informel, il est parfaitement
valable.

Il fit une pause et s'éclaircit à nouveau la gorge.

Tous les regards étaient fixés sur lui.

D'une longue enveloppe il sortit une simple feuille
de papier à en-tête de la maison, recouverte de l'écriture de Nick.

— C'est assez bref, fit remarquer Vyse.

Il observa un silence pour ménager ses effets, puis
commença à lire :

— *Je soussignée Magdala Buckley, saine de corps et
d'esprit, déclare prendre à ma charge tous les frais
d'enterrement et je nomme Charles Vyse mon exécuteur testamentaire. Je lègue tout ce que je possède à
Mildred Croft en témoignage de ma reconnaissance
pour les services qu'elle a rendus à mon père, Philip
Buckley, services qui ne seront jamais assez récom-
penses.*

Signé : *Magdala Buckley.*

Témoins : *Ellen Wilson, William Wilson.*

Je n'en croyais pas mes oreilles ! Les autres non
plus, d'ailleurs. Seule Mrs Croft, très calme, approu-
vait.

— C'est vrai, déclara-t-elle tranquillement. Je ne
pensais pas que cela se saurait un jour. Philip Buckley avait séjourné en Australie, et sans moi... enfin
je ne rentrerai pas dans les détails... C'était un secret
et cela doit le rester. Elle seule était au courant. Je
veux dire... Nick le savait. Son père avait dû tout lui
raconter. Nous sommes venus ici parce que nous
voulions connaître cet endroit. J'avais toujours été

curieuse de voir cette Maison du Péril dont parlait Philip Buckley. Cette chère enfant savait tout et s'est ingéniée à nous rendre la vie agréable. Elle tenait absolument à ce que nous venions vivre avec elle. Mais nous avons refusé. Alors elle a insisté pour que nous prenions le pavillon, sans nous demander un sou de loyer. Nous faisions semblant de le lui payer, bien sûr, pour ne pas faire jaser, mais elle nous rendait l'argent. Et voilà qu'à présent... ! Que quelqu'un ose me dire que la gratitude n'existe pas ! Je lui déclarerai qu'il se trompe. D'ailleurs en voici la preuve !

Un silence stupéfait continuait de planer sur la pièce. Poirot regarda Vyse.

— Vous doutiez-vous de cela ?

Vyse secoua la tête.

— Je savais que Philip Buckley était allé en Australie, mais je n'ai jamais entendu parler du moindre scandale.

Il dévisagea Mrs Croft d'un air inquisiteur.

Elle fit un geste de dénégation.

— Non, vous ne tirerez rien de moi. Je n'ai jamais parlé et je ne le ferai jamais. J'emporterai ce secret avec moi dans la tombe.

Vyse ne broncha pas. Il s'était rassis et tapotait doucement avec son crayon sur la table.

Poirot se pencha en avant :

— Mr Vyse, sans doute pourriez-vous, en tant que parent le plus proche, contester ce testament ? D'après ce que j'ai pu comprendre, il y a une immense fortune en jeu, ce qui n'était pas le cas au moment où ce document a été rédigé.

Vyse le regarda avec froideur.

— Ce testament est parfaitement valide. Je n'ai jamais songé à contester la façon dont ma cousine avait disposé de ses biens.

— Vous êtes un honnête homme, approuva Mrs Croft. Et je veillerai à ce que vous ne regrettiez rien.

Charles tiqua un peu devant cette remarque probablement bien intentionnée mais quelque peu déplacée.

— Dis donc, maman, s'exclama Mr Croft sans pouvoir dissimuler sa joie. Quelle surprise ! Nick ne m'avait rien dit de tout cela.

— La pauvre petite chérie, murmura Mrs Croft en se tamponnant les yeux. Je voudrais qu'elle puisse nous voir à présent. C'est peut-être le cas après tout, qui sait ?

— Peut-être, renchérit Poirot.

Une illumination sembla soudain le frapper et il regarda l'assistance.

— J'ai une idée ! Nous sommes tous assis autour de cette table. Faisons une séance de spiritisme.

— Une séance de spiritisme ? répéta Mrs Croft choquée. Mais nous ne...

— Si, si, ce sera passionnant. Mon ami Hastings ici présent possède un talent de médium incontestable. (Pourquoi moi ? je me le demandais.) C'est le moment ou jamais de recevoir un message de l'autre monde ! Je sens que nous sommes dans les conditions idéales. Vous aussi, Hastings.

— Tout à fait, répondis-je résolument en jouant le jeu.

— À la bonne heure ! Je le savais. Vite. Éteignons les lumières.

La minute d'après nous étions dans le noir. Tout le monde se retrouvait devant le fait accompli sans avoir eu le temps ni l'énergie de protester. En réalité ils étaient encore sous le choc que leur avait causé la lecture du testament.

La pièce n'était pas complètement obscure. En dépit des rideaux tirés, une lueur diffuse pénétrait en effet par la fenêtre restée grande ouverte à cause de la chaleur. Nous restâmes silencieux, et au bout de quelques minutes je commençai à distinguer le contour des meubles. Je me creusais la tête pour savoir ce que j'étais supposé faire en maudissant de tout mon cœur Poirot qui ne m'avait laissé aucune instruction.

Je fermai néanmoins les yeux et me mis à respirer bruyamment. Poirot se leva et avança sur la pointe des pieds jusqu'à ma chaise. Puis il revint à sa place en murmurant :

— Ça y est, il entre déjà en transe. Il va bientôt se produire quelque chose.

Il est particulièrement désagréable et angoissant de rester assis à attendre dans la pénombre. Cela me rendait nerveux, et j'étais sûr que toute la compagnie ressentait le même trouble que moi. Pourtant je pressentais plus ou moins ce qui allait se passer. Seul avec Poirot, je connaissais un élément capital ignoré de tous.

Et malgré tout, mon cœur bondit dans ma poitrine lorsque je vis la porte de la salle à manger s'ouvrir tout doucement. Il n'y eut aucun bruit (on avait dû graisser les gonds) et l'effet fut horriblement effrayant. Le battant s'ouvrit lentement et ce fut tout pendant quelques instants. Il nous sembla qu'un courant d'air froid s'engouffrait dans la pièce. Il venait sans doute tout simplement du jardin puisque la fenêtre était ouverte, mais cela ressemblait vraiment au frisson glacial dont parlent toutes les histoires de fantômes que j'ai pu lire.

Tout à coup, nous vîmes tous la même chose ! Une silhouette blanche et floue apparut dans l'encadrement de la porte : Nick Buckley...

Elle avançait lentement, sans bruit, d'un mouvement flottant et presque aérien qui lui conférait un aspect surnaturel...

Elle aurait pu faire une grande carrière au théâtre. Nick avait souhaité jouer une pièce à la Maison du Péril, eh bien, l'occasion lui était donnée à présent, et j'étais convaincu qu'elle s'en donnait à cœur joie. Elle était parfaite.

Elle avançait toujours de sa démarche aérienne quand le silence fut rompu.

À côté de moi, l'occupante de la chaise roulante poussa un cri étouffé. Mr Croft émit un son étranglé et Challenger lâcha un juron de stupéfaction. Charles Vyse repoussa son fauteuil tandis que Lazarus se penchait en avant. Seule Frederica demeura immobile et muette.

Un hurlement strident déchira l'air. Ellen bondit de sa chaise.

— C'est elle ! cria-t-elle d'une voix perçante. Elle est revenue. Elle marche ! Ceux qu'on assassine se remettent toujours à marcher. C'est elle, c'est elle !

Avec un petit déclic, la lumière revint.

Debout près de l'interrupteur, Poirot arborait le sourire du magicien. Drapée d'un voile blanc, Nick se tenait au milieu de la pièce.

Frederica parla la première. Elle tendit une main incrédule et effleura son amie.

— Nick, chuchota-t-elle. Mais tu es... réelle.

Nick se mit à rire et s'approcha.

— Oui, bien réelle, la rassura-t-elle. Merci beaucoup pour tout ce que vous avez fait pour mon père, Mrs Croft. Mais je crains fort que vous ne puissiez pas encore toucher votre héritage.

— Oh, mon Dieu ! bégaya Mrs Croft. Mon Dieu ! (Elle se tordait convulsivement dans son fauteuil.) Bert, emmène-moi. Emmène-moi ! C'était une plaisanterie, ma petite, rien qu'une plaisanterie, je vous le jure.

— Drôle de plaisanterie, répliqua Nick.

La porte s'était ouverte à nouveau et un homme était entré si discrètement que je ne l'avais pas entendu. À ma stupéfaction, je reconnus Japp. Il échangea un signe avec Poirot comme s'il confirmait quelque chose. Puis son visage s'illumina et il fit un pas vers la silhouette recroquevillée dans la chaise roulante.

— Bonjour, bonjour, dit-il gaiement. Qui est là ? Ma vieille amie Milly Merton ! Eh bien, ça, pour une surprise, c'est une surprise ! Encore en train de nous jouer un de vos tours, ma chère vieille fripouille !

Puis sans tenir compte des cris de protestation de Mrs Croft, il se tourna vers nous pour nous fournir quelques explications.

— Je vous présente Milly Merton, l'un des faussaires les plus doués que nous ayons jamais connus. Nous savions qu'elle avait eu un accident de voiture lors de sa dernière évasion. Mais regardez ! Même une colonne vertébrale en compote n'empêche pas Milly de repiquer au jeu. Ça, c'est une artiste !

— Ce testament est un faux ? demanda Vyse stupéfait.

— Évidemment qu'il est faux, jeta Nick avec le plus grand mépris. Vous ne pensez tout de même pas que j'aurais fait un testament aussi grotesque ? Je vous avais légué la maison, Charles, et tout le reste à Frederica.

Tout en parlant, elle se dirigeait vers son amie, et c'est à cet instant que la chose se produisit !

Un éclair jaillit de la fenêtre et une balle siffla. Puis une deuxième... on entendit ensuite un gémissement et le bruit d'une chute au-dehors...

Debout, Frederica tenait son bras d'où coulait un mince filet de sang...

20

« J »

Tout se passa si vite que, sur le moment, personne ne comprit la situation.

Puis, avec une exclamation véhémente, Poirot se précipita à la fenêtre, suivi par Challenger.

Ils réapparurent un moment plus tard, portant le corps inanimé d'un homme, qu'ils déposèrent dans un grand fauteuil de cuir. En découvrant son visage, je ne pus réprimer un cri de stupéfaction.

— Le visage ! Le visage à la fenêtre...

C'était l'individu que j'avais surpris en train de nous espionner la veille. Je le reconnus sur-le-champ. Poirot avait raison, j'avais effectivement exagéré en disant de lui qu'il avait l'air à peine humain.

Toutefois, ma première impression pouvait s'expliquer. C'était le visage d'un homme perdu, de quelqu'un qui n'est déjà plus qu'un déchet de l'humanité. Son visage blafard et mou, marqué par la dépravation, ressemblait à un masque — comme s'il avait été privé d'émotions et de sentiments depuis fort longtemps.

Du sang ruisselait sur sa tempe.

Frederica s'approcha lentement du fauteuil, mais Poirot l'arrêta au passage.

— Vous êtes blessée, madame ?

Elle fit un geste évasif.

— La balle n'a fait que m'égratigner l'épaule.

Et tout en l'écartant d'une main douce, elle se pencha sur l'inconnu.

Celui-ci ouvrit les paupières et la vit penchée sur lui.

— J'espère que je t'ai eue cette fois-ci, gronda-t-il d'un ton hargneux.

Puis sa voix se transforma et il se mit à geindre comme un enfant :

— Oh ! Freddie, je ne voulais pas te faire de mal. Je ne voulais pas... Tu as toujours été si bonne avec moi...

— Ne t'inquiète pas.

Elle s'agenouilla à ses côtés.

— Je ne voulais pas...

Sa tête bascula sur le côté et il n'acheva pas sa phrase. Frederica interrogea Poirot du regard.

— Oui, madame, il est mort, dit-il d'une voix douce.

Elle se releva lentement et effleura le front de l'homme d'un geste plein de pitié. Puis elle soupira et se tourna vers nous.

— C'était mon mari, dit-elle d'une voix calme.

— « j », murmurai-je.

Poirot m'avait entendu.

— Oui, confirma-t-il à voix basse. J'ai toujours pressenti que « j » existait. Je vous l'avais dit dès le début.

— C'était mon mari, répéta Frederica d'une voix terriblement lasse. (Elle s'effondra dans le fauteuil que lui offrait Lazarus.) Je ferais mieux de tout vous dire à présent... Complètement intoxiqué par la drogue, il était devenu une véritable loque. Il m'a entraînée dans son vice. J'essaye de m'en sortir depuis que je l'ai quitté. Je crois que je suis presque guérie. Mais cela a été très difficile. Terriblement difficile. Personne ne peut imaginer à quel point !

» Je ne parvenais pas à me débarrasser de lui. Il revenait sans cesse me demander de l'argent... C'était devenu une espèce de chantage. Si je ne lui donnais pas d'argent, il menaçait de se suicider. Ensuite, il a commencé à vouloir me tuer, moi. Mais ce n'était pas sa faute. Il était devenu fou... C'était un dément...

» C'est sans doute lui qui a tué Maggie Buckley. Ce n'était pas elle qu'il visait, bien sûr. Il a dû la confondre avec moi.

» Je sais que j'aurais dû parler. Mais je n'étais sûre de rien, après tout. Tous ces accidents étranges de Nick m'avaient... m'avaient fait penser que ça n'était peut-être pas lui en fin de compte. Il pouvait très bien s'agir d'une tout autre personne.

» Un jour, j'ai reconnu son écriture sur un bout de papier déchiré sur la table de Mr Poirot. C'était un fragment d'une lettre qu'il m'avait écrite. J'ai su à cet instant que Mr Poirot était sur la piste. Ce n'était plus qu'une question de temps...

» Mais je ne comprends toujours pas pour les chocolats. Quel besoin avait-il d'empoisonner Nick ? De toutes les manières, je ne vois pas en quoi il est mêlé à tout cela. J'ai cherché en vain, je me suis torturé l'esprit...

Elle se cacha le visage dans les mains puis conclut d'une voix pathétique :

— Voilà, c'est tout...

21

« K »

Lazarus se précipita vers elle.

— Ma chérie, ma pauvre chérie...

Quant à Poirot, il se dirigea vers le buffet et versa un verre de vin qu'il lui apporta. Il resta là à la contempler tandis qu'elle buvait.

Elle le lui rendit avec un pauvre sourire.

— Ça va mieux, maintenant. Qu'allons-nous faire à présent ?

Elle interrogea Japp du regard mais celui-ci secoua la tête.

— Je suis en vacances, Mrs Rice. Je n'ai fait que rendre service à un vieil ami. Tout ceci concerne la police de St Loo.

Elle se tourna alors vers Poirot.

— Je pense que Mr Poirot mène l'enquête pour le compte des policiers de St Loo ?

— Oh, quelle idée, madame ! Je ne fais que les aider dans la mesure de mes modestes moyens.

— Ne peut-on passer l'affaire sous silence, monsieur Poirot ? suggéra Nick.

— C'est ce que vous souhaitez, mademoiselle ?

— Oui. Après tout, j'étais la première concernée et je n'ai plus rien à craindre à présent.

— C'est exact. Vous n'aurez plus à souffrir la moindre attaque.

— Bien sûr, il y a Maggie. Mais, monsieur Poirot, rien ne pourra la ramener à la vie ! Et si vous rendez tout ceci public, pensez à ce que Frederica devra encore endurer... et elle ne l'a pas mérité.

— Vraiment, elle ne l'a pas mérité ?

— Bien sûr que non ! Dès le début je vous ai prévenu qu'elle avait épousé une brute infâme. Vous avez vu ce soir à quoi il ressemblait. Eh bien, il est mort. Finissons-en là ! Laissons la police continuer à chercher le meurtrier de Maggie, ils ne le trouveront jamais, voilà tout.

— Vous souhaitez donc, mademoiselle, que nous étouffions cette affaire.

— Oh oui ! S'il vous plaît. Je vous en prie, cher monsieur Poirot !

Poirot promena un regard circulaire sur l'assemblée.

— Et vous autres, qu'en dites-vous ?

Nous répondîmes chacun à notre tour.

— Je suis d'accord, dis-je fermement.

— Moi aussi, approuva Lazarus.

— C'est ce qu'il y a de mieux à faire, renchérit Challenger.

— Oublions tout ce qui s'est passé ici ce soir !

C'était Croft qui venait de prononcer cette phrase avec détermination.

— Ce n'est sûrement pas à vous de dire ça ! s'insurgea Japp.

— Ne me jugez pas trop sévèrement, ma petite, supplia sa femme en reniflant.

Nick se contenta de lui jeter un regard méprisant.

— Ellen ?

— William et moi resterons muets comme des tombes, monsieur. Moins on en parlera, mieux cela vaudra.

— Et vous, Mr Vyse ?

— On ne peut passer sous silence une telle affaire, déclara ce dernier. Les faits doivent être rapportés à la police.

— Charles ! s'exclama Nick.

— Je suis désolé, ma chère. Mais je considère l'aspect légal du problème.

Poirot émit un petit rire.

— Cela fait sept contre un. Ce bon Japp reste neutre.

— Je suis en vacances, répéta ce dernier avec un grand sourire. Je ne compte pas.

— Sept contre un. Il n'y a que Mr Vyse qui se tienne du côté de l'ordre et de la loi ! Vous avez du caractère, Mr Vyse !

Celui-ci haussa les épaules.

— La situation est claire, et la voie toute tracée.

— Oui, vous êtes un honnête homme. Eh bien, je me range moi aussi du côté de la minorité. Je suis pour que la vérité éclate au grand jour.

— Monsieur Poirot ! cria Nick sur un ton de reproche.

— Mademoiselle, vous m'avez entraîné dans cette affaire. Je m'en suis occupé parce que vous me l'avez demandé. Il est trop tard pour me faire taire à présent.

D'un geste que je lui connaissais bien, il agita un index menaçant.

— Asseyez-vous tous, et je vais vous révéler... la vérité.

Impressionnés par son attitude autoritaire, nous nous assîmes sagement pour lui prêter une oreille attentive.

— Écoutez-moi bien ! J'ai ici une liste, la liste de ceux qui auraient pu avoir un lien avec le crime. Je leur ai donné à chacun une lettre de l'alphabet de *a* à *j* — *j* étant un inconnu relié au crime par l'un ou par l'autre. Jusqu'à tout à l'heure, j'ignorais qui était *j* mais je savais qu'il existait. Les événements de ce soir ont prouvé que j'avais raison. Or hier, j'ai tout à coup compris que j'avais commis une grossière erreur. J'avais oublié quelqu'un et j'ai rajouté la lettre *k* sur ma liste.

— Un nouvel inconnu ? ironisa Vyse en sourdine.

— Pas exactement. *J* représentait un inconnu. Un second inconnu se serait simplement appelé *j*, lui aussi. *K* avait une signification différente. Cette lettre représentait une personne qui aurait dû faire partie de ma liste initiale, mais que j'avais négligé de prendre en compte.

Il se pencha vers Frederica.

— Rassurez-vous, madame. Votre époux n'était pas un meurtrier. Miss Maggie a été tuée par *k*.

Elle le regarda stupéfaite.

— Mais qui est-ce donc ?

Poirot fit un signe à Japp. Celui-ci s'avança d'un pas et comme s'il était à la barre des témoins, il déclara d'une voix solennelle :

— Agissant sur la base des informations reçues, je me suis posté ici en début de soirée, Mr Poirot m'ayant secrètement fait entrer dans la maison. J'étais caché derrière les rideaux du salon. Quand tout le monde a été réuni dans cette pièce, une jeune femme est entrée dans le salon et a allumé la lumière. Elle s'est dirigée vers la cheminée et a fait pivoter un panneau en actionnant un ressort. Une petite cachette est apparue d'où elle a sorti un revolver. L'arme à la main, elle a quitté la pièce. Je l'ai suivie. J'ai à peine entrouvert la porte, mais j'ai pu observer ses mouvements à loisir. Les invités avaient laissé leurs manteaux dans l'entrée en arrivant. La jeune femme a essuyé soigneusement le revolver avec un mouchoir, puis elle l'a glissé dans la poche d'un manteau gris, appartenant à Mrs Rice...

Nick poussa un cri.

— C'est faux... archifaux !

Poirot la désigna d'un doigt vengeur.

— Le voilà ! accusa-t-il. Voilà k ! Miss Nick, qui a tué sa cousine, Maggie Buckley.

— Vous êtes devenu fou ? riposta Nick. Pourquoi aurais-je tué Maggie ?

— Pour hériter de la fortune que lui avait laissée Michael Seton ! Elle aussi s'appelait Magdala Buckley, et c'était à elle qu'il était fiancé, non à vous !

— Vous... vous...

Elle se tenait là, tremblante, incapable de proférer un son. Poirot se tourna vers Japp.

— Vous avez appelé la police ?

— Oui, ils attendent dans l'entrée avec le mandat d'arrêt.

— Vous êtes fous à lier ! s'écria Nick sans se démonter.

Elle se précipita vers Frederica.

— Freddie, donne-moi ta montre en... en souvenir, s'il te plaît.

Lentement, Frederica détacha le bracelet-montre de son poignet et le lui tendit.

— Merci. Et maintenant subissons jusqu'au bout cette ridicule comédie.

— Cette comédie que vous avez imaginée et mise en scène à la Maison du Péril. Oui. Mais vous n'auriez jamais dû confier le premier rôle à Hercule Poirot. Vous avez commis là une erreur, mademoiselle, une erreur capitale.

22

LE FIN MOT DE L'HISTOIRE

— Et maintenant, vous voulez des explications ?

Poirot regarda autour de lui avec un sourire satisfait et son petit air modeste que je ne connaissais que trop.

Nous nous étions repliés dans le salon en comité restreint : les domestiques s'étaient retirés discrètement et les Croft avaient été emmenés par la police. Il ne restait plus que Frederica, Lazarus, Challenger, Vyse et moi-même.

— Eh bien, je le confesse, j'ai été trompé, bel et bien trompé. Cette petite Nick m'a mené par le bout du nez. Ah, madame ! Si je vous avais écoutée lorsque vous m'avez dit que votre amie était une sacrée petite menteuse ! Comme vous aviez raison !

— Nick a toujours raconté des mensonges, répondit posément Frederica. C'est pour cela que je n'arrivais pas à croire à ses accidents rocambolesques.

— Et moi, imbécile, je l'ai crue !

— Se sont-ils réellement produits, ces accidents ? demandai-je, l'esprit encore embrouillé.

— Ils ont été inventés, très intelligemment, pour donner l'impression que la vie de miss Nick était en danger. Mais je vais remonter plus loin et vous raconter l'histoire telle que j'ai fini par la reconstituer. Car moi, je ne l'ai comprise que par bribes, très lentement.

» Au tout début de notre histoire, nous avons cette demoiselle, Nick Buckley, jeune, ravissante et sans scrupules. Elle est en outre fanatiquement attachée à sa maison.

Charles opina du chef :

— Je vous l'avais bien dit.

— Et vous aviez raison. Miss Nick adorait la Maison du Péril. Mais elle n'avait pas d'argent. La propriété était hypothéquée et elle avait un besoin urgent de trouver des fonds. Un beau jour donc, elle fait la connaissance au Touquet du jeune Seton à qui elle plaît. Elle sait que selon toutes probabilités, il héritera de son oncle, dont la fortune est colossale. C'est une chance à ne pas laisser passer. Mais l'aviateur n'est pas vraiment attiré par elle. Il la trouve amusante, un point c'est tout. Ils se retrouvent à Scarborough et il l'emmène faire un tour dans son avion et... c'est alors que la catastrophe se produit. Il rencontre Maggie et c'est le coup de foudre.

» Miss Nick n'en revient pas. Sa cousine Maggie, qu'elle a toujours trouvée si terne ! Mais pour le jeune Seton, elle est "différente" des autres. C'est la femme de sa vie. Ils se fiancent en cachette. Une seule personne est mise au courant : miss Nick. Cette pauvre Maggie est heureuse de pouvoir en parler avec quelqu'un. Elle lit certainement à sa cousine certains passages des lettres que lui écrit son fiancé. C'est ainsi que Nick entend parler du testament. Au début, elle n'y prête pas attention, mais cela lui reste en mémoire.

» Puis arrive la nouvelle de la mort brutale et inattendue de sir Matthew Seton. Et, juste après, des rumeurs commencent à circuler sur la disparition de son neveu. Immédiatement, un plan audacieux s'échafaude dans la tête de notre jeune demoiselle. Seton ignore qu'elle aussi se prénomme Magdala. Il ne la connaît que sous le surnom de Nick. Manifestement, son testament a été rédigé d'une façon fort peu conventionnelle, il se contente de mentionner le nom de son héritière. Or aux yeux de tous, Seton est *son* ami ! C'est donc à elle que l'on associe son nom et personne ne sera surpris si elle raconte qu'ils étaient fiancés. Mais pour réussir, il lui faut éliminer Maggie.

» Et pour cela il faut agir vite. Elle s'arrange donc pour l'inviter à venir passer quelques jours. C'est alors que les fameux accidents se produisent : le tableau dont elle coupe la corde, les freins de sa voiture qu'elle trafique, le rocher qui tombe de la falaise, cela, c'est peut-être vrai, après tout, elle s'est contentée d'inventer qu'elle se promenait par là à ce moment-là.

» Ensuite elle voit mon nom dans le journal. (Je vous l'avais dit, Hastings, tout le monde connaît Hercule Poirot !) et elle a le culot de faire de moi son complice. La balle qui traverse son chapeau et tombe à mes pieds ! Quelle merveilleuse mise en scène ! Je tombe dans le panneau ! Je crois au danger qui la menace. Bravo ! Elle a trouvé un témoin de choix. Je rentre dans son jeu en lui demandant de faire venir une amie. Elle saute sur l'occasion et convoque Maggie un jour plus tôt. Comme son crime est facile ! Elle nous abandonne pendant le dîner et dès qu'elle a entendu la confirmation de la mort de Seton à la radio, elle met son plan en action. Elle a tout le temps de prendre les lettres de l'aviateur dans la chambre de Maggie et de choisir celles qui servent ses desseins. Elle les cache dans sa propre chambre. Plus tard, Maggie et elle quittent le feu d'artifice et retournent dans la maison. Elle dit à sa cousine de prendre son châle. Quand Maggie ressort, elle la suit furtivement et elle la tue. Elle revient vite sur ses pas, elle cache le revolver dans le panneau secret (elle croit que personne n'en connaît l'existence) et remonte à l'étage jusqu'à ce qu'elle entende des voix. Le cadavre est découvert : c'est le signal. Elle dévale alors les escaliers et sort par la porte-fenêtre. Comme elle a bien joué son rôle ! Magnifique ! Ça oui ! elle a monté ici une superbe tragédie. Ellen, la bonne, a dit que cette maison est maudite. Je suis assez de son avis. C'est dans cette maison que Nick a puisé son inspiration.

— Mais ces chocolats empoisonnés, interrogea Frederica. Je ne me l'explique toujours pas.

— Cela faisait partie du même scénario. Vous ne comprenez donc pas que si l'on attentait à la vie de Nick après la mort de Maggie, il devenait évident que la mort de celle-ci avait été une erreur.

» Quand elle juge le moment venu, elle appelle Mrs Rice au téléphone et lui demande de lui envoyer une boîte de chocolats.

— C'était donc bien sa voix ?

— Bien sûr ! L'explication la plus simple est souvent la bonne ! Elle modifie juste un peu sa voix. Simplement pour que vous soyez prise de doute quand on vous posera la question, voyez-vous. Puis la boîte arrive et là encore tout est simple. Elle remplit trois chocolats de cocaïne qu'elle a cachée sur elle, en mange un et tombe malade... mais pas trop. Elle sait très bien jusqu'où elle peut aller et quels sont les symptômes à feindre.

» La carte... ma carte ! Ah sapristi ! Elle a un de ces toupets ! C'était bien la mienne, celle que j'avais envoyée avec les fleurs. Facile, non ? Mais il fallait y penser, n'est-ce pas ?

Un silence s'établit puis Frederica demanda :

— Pourquoi a-t-elle mis le revolver dans ma poche ?

— J'attendais que vous me posiez la question, madame. Dites-moi, vous est-il jamais venu à l'esprit que Nick ne vous aimait plus ? N'avez-vous jamais eu l'impression qu'elle pouvait même vous haïr ?

— C'est difficile à dire, répondit lentement Frederica. Nous n'étions pas très sincères l'une avec l'autre. Elle m'aimait bien, avant.

— Mr Lazarus, vous comprenez aisément que toute manifestation d'amour-propre serait ici déplacée. Y a-t-il eu quelque chose entre Nick et vous ?

Lazarus secoua la tête :

— Je me suis senti attiré par elle à une époque, et puis je ne sais pas pourquoi, je me suis détaché d'elle.

Poirot approuva d'un air sentencieux.

— C'était là son drame, voyez-vous. Elle attirait les gens, et puis ils « se détachaient d'elle ». Au lieu de l'aimer chaque jour davantage, vous vous êtes épris de son amie. Et elle a commencé à haïr Mrs Rice qui, elle, avait un ami riche pour la soutenir dans la vie. Quand l'hiver dernier elle a rédigé son testament, elle vous aimait beaucoup, madame. Ensuite les choses ont changé.

» Elle s'est souvenue de ce testament. Elle ignorait qu'il avait été intercepté par Croft et qu'il n'était jamais arrivé à bon port. Mrs Rice — c'est ce que tout le monde aurait dit — avait un mobile pour souhaiter sa mort. C'est pourquoi elle lui a téléphoné pour lui demander des chocolats. Ce soir, on devait lire le testament qui faisait de vous sa légataire universelle, et on aurait ensuite trouvé le revolver dans la poche de votre manteau... l'arme avec laquelle Maggie avait été tuée. Si Mrs Rice avait découvert l'arme du crime, elle se serait sûrement trahie en essayant de s'en débarrasser.

— Comme elle devait me haïr..., murmura Frederica.

— Oui, madame. Vous aviez ce qui lui manquait : le privilège de conquérir l'amour et de le conserver.

— Je suis peut-être un peu obtus, interrompit Challenger, mais je n'ai pas encore compris le mystère du testament.

— C'est une autre affaire, elle est très simple : les Croft sont cachés dans la région en attendant des jours meilleurs. Nick doit subir une opération et elle n'a pas fait de testament. Les Croft se disent qu'il y a peut-être là une occasion à saisir. Ils la persuadent d'en rédiger un et s'offrent à le mettre à la poste. Si quelque chose lui arrive, si elle meurt, ils exhiberont un testament habilement falsifié, n'est-ce pas, qui laisse tout l'argent à Mrs Croft avec une allusion à l'Australie et à Philip Buckley dont ils savent qu'il a visité ce pays. Mais l'appendice de mademoiselle Nick est ôté sans le moindre problème et le faux testament ne sert pas. Pour le moment du moins.

» Lorsque les tentatives de meurtre se succèdent, les Croft reprennent espoir. Je finis par annoncer son décès. Quelle aubaine ! L'affaire est trop belle ! Le faux document est envoyé illico à Mr Vyse. Bien sûr, quand ils l'ont rencontrée, ils la croyaient bien plus riche qu'elle ne l'était et ne savaient rien de l'hypothèque.

— Monsieur Poirot, demanda alors Lazarus, j'aimerais savoir comment vous avez pu découvrir toutes ces manigances ? Quand avez-vous commencé à les soupçonner ?

— Ah ! il n'y a pas si longtemps, à ma grande honte ! J'étais tourmenté par certains détails qui ne collaient pas. Des divergences entre ce que Nick me disait et ce que me racontaient les autres, voyez-vous. Malheureusement, c'était toujours miss Buckley que je croyais.

» Soudain j'ai eu une révélation. Nick a commis une seule erreur. Elle a voulu trop bien faire. Quand je lui ai vivement conseillé de faire venir une amie, elle a promis de m'obéir, sans me préciser qu'en fait elle avait déjà invité miss Maggie. Cela a dû lui paraître plus discret, mais en réalité ce fut une erreur.

» Maggie Buckley a écrit chez elle dès son arrivée,

et dans cette lettre une petite phrase bien innocente m'a mis la puce à l'oreille : "Je me demande bien pourquoi Nick m'a envoyé ce télégramme. Mardi aurait été aussi bien." Que signifiait cette allusion au mardi ? Une seule chose : Maggie devait arriver de toutes les manières le mardi. Et Nick m'avait menti, ou tout au moins, elle m'avait caché la vérité.

» Alors pour la première fois, j'ai commencé à la regarder d'un autre œil. J'ai examiné ses déclarations avec un esprit critique. Au lieu d'y croire, je me suis dit : "Supposons que cela soit faux." Je me suis souvenu des contradictions entre elle et les autres. "Qu'en serait-il si, à chaque fois, c'était Nick qui m'avait menti et non pas l'autre ?"

» Alors je me suis dit : "Allons au plus simple : que s'est-il vraiment passé ?"

» Or, l'assassinat de Maggie Buckley était le seul fait concret. C'était tout ! Mais qui pouvait souhaiter la mort de Maggie Buckley ?

» J'ai ensuite pensé à autre chose : une remarque anodine faite par Hastings cinq minutes plus tôt. Il venait de me dire qu'il existait pléthore de surnoms pour Margaret : Maggie, Margot, etc. Alors je me suis soudain demandé quel était le vrai nom de miss Maggie ? Et j'ai eu une illumination ! Si c'était Magdala ! Nick m'avait dit que c'était un prénom courant dans leur famille. Imaginons qu'il y ait eu deux Magdala Buckley...

» Je me repassais mentalement en mémoire les lettres de Michael Seton. Non, ça n'était pas impossible. Il évoquait Scarborough, mais Maggie s'y trouvait en même temps que Nick, sa mère me l'avait dit.

» Cela expliquait en outre un détail qui me chiffonnait. Pourquoi y avait-il si peu de lettres ? Quand une jeune fille garde les lettres de son amoureux, elle les garde toutes. Pourquoi n'en avoir choisi que quelques-unes ? Avaient-elles une particularité ?

» Je me souvins alors qu'aucun nom n'y était mentionné. Elles commençaient toutes différemment, avec un petit nom tendre. Dans aucune d'entre elles ne figurait le prénom de Nick. Enfin un autre détail, qui aurait dû me sauter aux yeux, proclamait à lui seul la vérité.

— Lequel ?

— Voici : cette année, miss Nick a été opérée de l'appendicite le 27 février. Or, il y a une lettre de Michael Seton datée du 2 mars dans laquelle il ne fait pas la moindre allusion à cette opération : aucune inquiétude, rien d'extraordinaire. Cela aurait dû me prouver que ces lettres étaient en réalité destinées à une autre.

» J'ai repris une liste de questions que je m'étais déjà posées et j'y ai répondu à la lumière de cette nouvelle interprétation. Dans presque tous les cas, la réponse était devenue simple et convaincante. Un détail, parmi d'autres, me rendait perplexe depuis le début : pourquoi miss Nick s'était-elle acheté une robe noire ? Pour qu'elle et sa cousine fussent habillées de la même façon, le châle rouge devant apporter la note finale. C'était là la vraie raison ; l'autre réponse était fausse. Jamais une jeune fille n'achèterait un vêtement de deuil avant d'être sûre de la mort de son amoureux. Ce serait peu crédible, peu naturel.

» C'est alors qu'à mon tour, j'ai élaboré mon petit scénario. Et ce que j'espérais s'est produit ! Nick Buckley avait été trop véhémente quand je lui avais parlé du panneau secret. Elle avait affirmé qu'il n'existait pas. Si c'était faux (car je ne vois pas pourquoi Ellen aurait été inventer cette histoire), Nick était forcément au courant de son existence et me mentait. Pourquoi était-elle si catégorique ? Avait-elle caché le revolver ? Dans l'intention de s'en servir plus tard pour jeter les soupçons sur quelqu'un d'autre ? Je lui fis comprendre que Mrs Rice était en très mauvaise posture. C'était ce qu'elle avait prévu. J'étais certain qu'elle ne pourrait pas résister à mettre en place cette ultime preuve contre son amie. En outre c'était plus sûr pour elle, car Ellen pouvait découvrir le panneau secret et le revolver à l'intérieur !

» Nous étions tous rassemblés dans cette pièce et Nick attendait dehors qu'on lui donnât le signal. Elle a pensé qu'elle ne risquait rien en allant récupérer le pistolet dans sa cachette pour le glisser dans le manteau de Mrs Rice...

— Et au dernier moment... elle a échoué...

Frederica frissonna.

— C'est égal, chuchota-t-elle, je suis contente de lui avoir donné ma montre.

— En effet, madame.

Elle leva les yeux vers lui.

— Vous êtes également au courant de cela ?

Mais je l'interrompis :

— Et Ellen ? Savait-elle quelque chose en fin de compte ?

— Non. Je le lui ai demandé et elle m'a répondu qu'elle avait décidé de rester dans la maison ce soir-là parce que — ce sont ses propres mots — « elle pensait qu'il se tramait quelque chose ». Miss Buckley avait dû beaucoup trop insister pour qu'elle sorte voir le feu d'artifice. Elle avait deviné l'animosité de Nick pour Mrs Rice. Elle pressentait qu'un drame allait se produire, mais elle pensait que la victime serait Madame. Elle connaissait bien le caractère de sa patronne et d'après elle, Nick avait toujours été une petite fille étrange.

— Oui, murmura Frederica. Oui, il vaut mieux penser à elle ainsi. Une petite fille étrange. Une petite fille étrange qui ne pouvait pas s'empêcher... Mais je...

Poirot lui prit la main et la porta à ses lèvres.

Charles Vyse, mal à l'aise, observa d'un ton calme :

— Ce sera une tâche fort désagréable, mais il va falloir que je songe à un système de défense pour Nick.

— Je ne pense pas que ce soit la peine, le rassura Poirot d'une voix douce. Pas si mes suppositions sont exactes.

Il fit volte-face et apostropha Challenger :

— C'est bien là que vous cachez la « marchandise » n'est-ce pas ? Dans ces montres-bracelets ?

— Je... je..., balbutia le marin, pris de court.

— N'essayez pas de me berner avec vos airs de brave garçon au grand cœur. Vous avez pu tromper Hastings, pas moi. C'est une affaire juteuse, n'est-ce pas ? Le trafic de drogue que vous avez monté avec votre oncle de Harley Street ?

— Monsieur Poirot..., s'écria Challenger en se levant.

Mon compagnon le dévisagea sans se troubler.

— Vous êtes « l'ami » utile. Vous aurez beau le nier ! Mais je vous préviens, si vous ne voulez pas que je raconte tout à la police, disparaissez !

À ma stupéfaction, Challenger fila sans demander son reste. Je demeurai abasourdi.

Poirot se mit à rire.

— Je vous l'avais bien dit, mon bon ami. Vos intuitions sont toujours fausses. C'est épatant !

— La cocaïne se trouvait dans les montres...

— Eh oui. Ce qui explique pourquoi miss Nick en avait si providentiellement avec elle à la clinique. Comme elle a utilisé tout ce qu'elle avait en réserve pour truquer les chocolats, elle vient de demander à Mrs Rice la sienne, qui était pleine.

— Elle ne peut donc pas s'en passer ?

— Non, non. Miss Nick ne s'y adonne pas régulièrement. Seulement de temps en temps pour s'amuser. Mais ce soir, elle en avait besoin pour une tout autre raison. Et elle en prendra une dose entière.

— Vous voulez dire qu'elle...

— C'est la meilleure solution. Cela vaut mieux que l'infamie de la pendaison. Mais taisons-nous ! Ne parlons pas de cela devant Mr Vyse qui représente l'ordre et la loi. Officiellement je ne sais rien. Cette histoire de montre-bracelet n'est qu'une simple supposition de ma part.

— Vos suppositions se vérifient toujours, monsieur Poirot, constata Frederica.

— Il faut que je m'en aille, murmura Charles Vyse.

Il quitta la pièce avec raideur, l'image même de la désapprobation.

Le regard de Poirot allait de Frederica à Lazarus.

— Vous allez vous marier, à présent ?

— Le plus tôt possible, sourit la jeune femme.

— Vous savez, monsieur Poirot, je ne suis pas la cocaïnomane que vous croyez. J'ai réussi à me restreindre et je pense que le bonheur aidant, je n'aurai bientôt plus besoin de ces montres...

— Je vous en souhaite beaucoup, de bonheur, madame, lui dit gentiment Poirot. Vous avez énormément souffert et malgré cela, votre cœur est toujours capable de pardonner...

— Je saurai m'occuper d'elle, dit Lazarus. Mes affaires ne sont pas brillantes, mais je crois que je m'en sortirai. Dans le cas contraire je pense que Frederica ne craindra pas de partager ma pauvreté.

Elle acquiesça en souriant.

— Il se fait tard, remarqua Poirot en regardant la pendule.

Nous nous levâmes tous.

— Nous venons de passer une soirée étrange dans cette étrange demeure, poursuivit-il. Je crois qu'Ellen avait raison de dire qu'elle est habitée par de mauvais esprits...

Il leva les yeux vers le portrait du vieux sir Nicholas. Puis d'un geste soudain, il prit Lazarus à part.

— Je vous demande pardon, mais j'ai encore une

question qui me trotte dans la tête. Expliquez-moi pourquoi vous avez offert cinquante livres à Nick pour ce tableau ? Je voudrais le savoir, car je n'aime pas laisser la moindre chose dans l'ombre.

Lazarus demeura impassible quelques instants. Puis il sourit.

— Voyez-vous, monsieur Poirot, je suis marchand de tableaux.

— Justement.

— Ce tableau vaut au maximum vingt livres. Je savais que si j'en proposais cinquante à Nick, elle soupçonnerait immédiatement qu'il en valait davantage et le ferait expertiser. Elle aurait vu que je lui en avais offert une somme bien au-delà de sa valeur. La prochaine fois que je lui aurais proposé d'acheter un tableau, elle n'aurait pas demandé d'expertise.

— Oui, et alors ?

— Le tableau que vous voyez là-bas doit valoir au bas mot cinq mille livres, se contenta de dire Lazarus.

— Ah ! siffla Poirot, admiratif. Je sais tout maintenant.

Son visage reflétait la plus franche gaieté.

Composition réalisée par JOUVE

IMPRIMÉ EN FRANCE PAR BRODARD ET TAUPIN
Usine de La Flèche (Sarthe).
ISBN : 2 - 7024 - 7861 - 1
Edition 01
Dépôt édit. 0454 - 03/1997
N° Impr. 4541C-5